Le Bateleur

DU MÊME AUTEUR

Corbeaux en exil, Le Nordir, 1992.
French Town, Le Nordir, 1994. Prix littéraire du Gouverneur
général 1994, «théâtre».

Michel Ouellette

Le Bateleur

Théâtre / Le Nordir

Les Éditions du Nordir ont été fondées en 1988
au Collège universitaire de Hearst

Depuis 1989:
Département des lettres françaises
Université d'Ottawa
60, rue Université
Ottawa (Ontario)
K1N 6N5
Téléphone: (819) 243-1253
Télécopieur: (819) 243-6201

Mise en pages: Robert Yergeau
Correction des épreuves: Jacques Côté

Photographie de la couverture: André Richard,
extrait du *Bateleur*, pièce jouée au Théâtre du Nouvel-Ontario,
en avril 1995
Crédit photographique: Rachelle Bergeron
© Le Théâtre du Nouvel-Ontario
Photographies intérieures: Rachelle Bergeron
© Le Théâtre du Nouvel-Ontario

Les Éditions du Nordir sont subventionnées par le Conseil des Arts
du Canada, par le Bureau franco-ontarien du Conseil des Arts
de l'Ontario et par la Municipalité régionale d'Ottawa-Carleton

Distribution: Diffusion Prologue Inc.
Téléphone sans frais: 1 800 363-2864
Télécopieur sans frais: 1 800 361-8088

PS
8579
.463
B38
1995

à Marie claude et Arnaud

Les acteurs entourant la metteure en scène:
Annick Léger, Marc Thibaudeau, Sylvie Dufour,
André Richard et Roger Wylde

Le Bateleur
a été créé à Sudbury
le 19 avril 1995
par le Théâtre du Nouvel-Ontario,
en coproduction avec le Théâtre français
du Centre national des arts,

dans une mise en scène de Sylvie Dufour,

avec
Annick Léger - Éliza (Betty)
André Richard - Jack
Marc Thibaudeau - Dempsey
Roger Wylde - Virgile

dans une scénographie de Jean Bard,
avec une musique de Marcel Aymar,
des éclairages de Michel Charbonneau
et une régie de Jean-Sébastien Busque.

Maudite lavette!

L'action se déroule dans un hôtel du Nord où se croisent et se mêlent une histoire, un film, des souvenirs, des rêves et des mensonges.

Un hôtel. Trois sorties, vers l'extérieur, vers la chambre et vers la remise. Le comptoir, des tabourets. Une table, des chaises. Des bouteilles et des verres.

Jack passe le balai. Dempsey imite ses gestes.

Jack se frotte le bas du dos, dépose le balai, va derrière le bar. Dempsey fait de même.

Jack sort trois bouteilles vides, un pichet d'eau, puis une bouteille de rye pleine. Dempsey le suit dans ses moindres gestes.

DEMPSEY
Attention! Tu vas tout renverser!

Jack s'arrête, se retourne et le fixe dans les yeux.

DEMPSEY
Maudite lavette!

Jack reprend son travail de dilution.

DEMPSEY
Vendeur de pisse!

JACK
Ferme ta boîte, toé!

DEMPSEY
Envoye! Montre-moé tes poings que je te réarrange la face.

JACK
Lâche-moé!

DEMPSEY
C'est le grand jour, aujourd'hui. Tu vas enfin la demander en mariage.

JACK
Elle devrait déjà être icitte.

DEMPSEY
Si elle voulait, elle pourrait avoir du frais n'importe quand. Mais elle veut pas personne. La chance est à toé... Regarde-toé: les mains qui tremblent! Ça revole partout!

JACK
Fais-moé pas enrager.

DEMPSEY
Vas-y, le chimiste! Dilue tes spirites. Mets-en, de l'eau. Arrose le comptoir. Ça coule partout. Ça pisse à terre.

Dempsey le bouscule. Le liquide se répand partout. Les bouteilles résonnent, tombent.

DEMPSEY
Belle job!

Jack passe un linge, ramasse le dégât.

JACK
Pousse-moé pus.

DEMPSEY
Ramasse, lavette. Tords le linge. Tords-toé les tripes. Fais un nœud dedans. Un nœud ben serré qui se détachera jamais.

JACK
Arrête!

DEMPSEY
Tu jappes, mais tu mords pas.

JACK
Elle rentrera pas. C'est mieux de même. Je devrais pas y parler de ça... Je devrais pas oser y penser.

DEMPSEY
C'est ça.

Jack va pour se lever, Dempsey l'arrête.

JACK
Je suis pas prêt.

DEMPSEY
Si fallait toujours attendre d'être prêt pour agir, on serait encore dans la caverne à grogner devant un feu mourant, un os de mammouth entre les babines.

JACK
Je veux pas...

DEMPSEY
Ben ferme-toé, d'abord! Ferme-toé pis continue à passer ton temps à répéter les mêmes maudites choses en silence. Du marmonnage! Maudit pogné! Tu te branles la queue parce que t'as pas le courage d'aller au bout de tes désirs.

JACK

Je vas rester dans mon coin.

DEMPSEY

Pis tu finiras dins craques. Un jour tu vas exploser comme un ptit diable à ressort! Pis ys vont t'enfermer dans une boîte, pas de portes, pas de fenêtres. Rien que toé pis moé.

JACK

Y fait frette icitte. C'est pour ça que mes mains tremblent. Le frette est dans mes os pis y me lâche pas.

DEMPSEY

On est tous les deux pognés dans un film en noir et blanc qui arrête pas de raconter la même maudite histoire. Si tu veux sortir du film, tu vas devoir me casser la yeule... Vas-y. Fesse-moé! Envoye, le nioche!

Dempsey secoue Jack, qui demeure impassible.

DEMPSEY

Maudite lavette! Écoute-moé. Tu la veux, Éliza. Tu veux l'avoir dans ton lit!

JACK

Je veux l'épouser.

DEMPSEY

Tu veux toucher à son odeur de nymphe. Pas juste sentir. Toucher. Caresser. Tu veux mettre tes mains sur ses fesses, sur ses hanches, sur ses côtes, sur ses bras, sur ses joues, sur ses paupières. Tu veux l'avoir au bout de tes dix gros doigts.

JACK

J'ai les mains cassées. Le cœur itou. Je veux pas la toucher.

DEMPSEY

On aime par le corps, par la sueur, pis la salive pis le sperme.

JACK

Y est trop tard pour recommencer.

DEMPSEY

Y est jamais trop tard.

JACK

Trop tard.

DEMPSEY

Avoir quelque chose que tu peux pas toucher, c'est le pire enfer. Tu le sais. C'est rien qu'à cte jeu-là que tu joues. Change de *game*! Prends-la. Frotte-toé à elle. Elle te veut. Elle est à toé.

JACK

Je serai jamais à elle.

DEMPSEY

On le sait jamais si on est à une femme. On peut rien faire à ça.

JACK

Si elle devenait ma femme, je la forcerais pas à coucher avec moé. Je serais heureux juste de l'avoir à côté.

DEMPSEY

Tu vas la marier juste pour la regarder?

JACK

Juste pour la garder proche de moé.

DEMPSEY
Branleux!

JACK
Je lui donnerais l'hôtel en cadeau de noces.

DEMPSEY
Vive la mariée! Mariée en blanc, plus blanc que sa robe blanche, plus blanc que les draps blancs de son lit nuptial. Pauvre mariée. Son mari a juste des blancs dans son fusil. Blanc! Blanc! T'es pas mort! T'es pas vivant!

JACK
Lâche-moé.

Temps.

DEMPSEY
Elle va entrer tantôt.

JACK
Elle va sentir le savon parfumé pis le shampooing aux herbes sauvages.

DEMPSEY
Tu vas la suivre le nez en l'air à renifler tout ça. Pis elle va sortir son jeu de tarots. Elle va tirer des cartes en te racontant ses problèmes avec sa mère. Pis elle va se prendre une cigarette, pis tu vas vouloir lui dire de pas fumer, parce que tu détestes l'odeur des cigarettes, parce que t'aimes mieux son odeur fraîche...

JACK
Son odeur de nymphe sortie du bain...

DEMPSEY

Parce qu'avec cte odeur-là tu peux la voir dans son bain, la peau luisante, des ptites bulles de savon sous ses seins, sur son ventre; t'aimerais ça être une de ces bulles-là...

JACK

C'est pas de même.

DEMPSEY

Elle va être là devant toé, tantôt. Une parole pis elle va être à toé. Une parole! Fa que accroche-toé pas la tête sur le manche de ton balai, les yeux dans la poussière, la langue dans la poche pis le cœur dins culottes.

JACK

Je sais pus.

DEMPSEY

Tu y as donné cinquante piastres pour lui faire comprendre que tu la veux, pis que t'es prêt à payer pour.

JACK

J'aurais pas dû faire ça.

DEMPSEY

Elle va en vouloir plus. Elle va te vouloir, toé... Quand elle va entrer, parles-y de sa mère. Ouvre la bouche avant elle. Parles-y du beau temps. Parles-y de sa robe. Parles-y.

JACK

Pis après? Après sa mère, le beau temps pis sa robe, que c'est que je fais?

DEMPSEY

Dis-y je t'aime, je te veux. Je veux t'épouser.

JACK
Je reprends mon balai.

DEMPSEY
Touches-y pas.

Ils se battent. Dempsey domine Jack qui tente de parer les coups.

Entrée d'Éliza.

Éliza porte son beau manteau. Elle est bien maquillée, bien habillée.

DEMPSEY
Ouvre la bouche. Parle avant elle.

Silence.

Elle n'enlève pas son manteau.

DEMPSEY
Demandes-y des nouvelles de sa mère.

JACK
Euh? Ta mère va bien?

ÉLIZA
Ma mère?... Comme toujours, elle est à l'article de la mort. À matin, elle a mal au ventre pis elle dit souffrir de, comment elle a dit ça... cholécystite. Je sais pas où c'est qu'elle a pris ça, un nom pareil... Je te jure: si je m'étais pas retenue, je la passais au batte. Je dois être masochiste de l'endurer de même... Mais on a juste une mère, comme elle me le répète, la main sur le foie. Ah pis!

Silence.

DEMPSEY
Le beau temps...

JACK
Y... y fait beau aujourd'hui. Une belle journée.

ÉLIZA
Y fait tempête. Le vent a des dents. Y mord à travers ton linge.

DEMPSEY
Parles-y de sa robe.

JACK
C'est beau ce que tu portes.

ÉLIZA
Je te dis que ça va être tranquille aujourd'hui... Personne va se risquer jusqu'icitte dans cte temps de chien-là. Ah, j'ai ben pensé de rester enroulée dans mes couvertures, mais les jérémiades de ma pauvre mère m'ont poussée jusqu'à la porte de l'hôtel.

JACK
T'as bien fait de rentrer travailler.

ÉLIZA
T'as encore fait un dégât sur le bar! Toé, tu dois avoir le Parkinson!

Temps.

ÉLIZA
Un de ces jours, y va falloir que t'arrêtes de mettre de l'eau dans le fort. Des fois, c'est correct de tricher un peu. Mais ça

peut pas durer toujours. T'as juste à regarder le monde qui rentre icitte-dans. Toujours les mêmes. Ys se rendent même pus compte qu'ys boivent plus d'eau que de spirites.

DEMPSEY
De la pisse!

ÉLIZA
Écoute, Jack. C'est pas pour fuir ma mère que je suis rentrée aujourd'hui.

Elle s'allume une cigarette.

DEMPSEY
Dis-y déteindre.

JACK
Non. Fume pas!... J'aime pas ça quand tu fumes.

ÉLIZA
Quoi ça? Tu vas virer la place en non-fumage? Ça serait pas bon pour les affaires. Les hôtels, c'est ben le dernier refuge des fumeurs.

JACK
Excuse.

ÉLIZA
Bon. O.K. Pour te faire plaisir, j'éteins... Je te dis pas que j'arrête de fumer, là. Je serais pas capable. Je m'arracherais les poumons à tousser si j'avais pas ma dose de goudron pour m'adoucir les bronches.

JACK
Merci.

ÉLIZA

Ah, pis je devrais peut-être ben arrêter itou. Y a des habitudes comme ça qui te donnent du plaisir mais qui vont te tuer à la longue.

Silence.

DEMPSEY

Ramasse le silence avant elle.

JACK

Éliza, je voudrais te demander de quoi.

ÉLIZA

Avant, j'ai à te parler. C'est pas facile pour moé de te dire ce que je vas te dire. Je sais pas par quel boute commencer. C'est compliqué. Mais je voudrais que tout soit clair.

DEMPSEY

Fonce dedans!

ÉLIZA

Ça fait pas mal longtemps que j'y pense, là. C'est pas un coup de tête, ni une saute d'humeur. Pis c'est pas le syndrome prémenstruel. C'est rien de ça.

DEMPSEY

Dis-y de se taire.

ÉLIZA

J'ai pus vingt ans. J'ai pus le monde devant moé. Plus ça va, plus le monde rétrécit, pis ma vie commence à ressembler de plus en plus à l'hôtel icitte.

DEMPSEY

Coupe-la. Dis-y ce que toé t'as à lui dire.

ÉLIZA

Ça fait plus de quinze ans que je travaille pour toé. Au fil des ans, y en est passé, des filles, icitte-dans. Mais je suis la seule qui reste... Quinze ans! C'est aussi longtemps que le mariage de mes parents.

DEMPSEY

Saute dessus!

ÉLIZA

On fait comme un drôle de couple. Je sais pas ce qu'y a entre toé pis moé. Ça se passe en silence. Ça se dit pas, non plus.

DEMPSEY

Parle!

ÉLIZA

Mais plus ça va, plus ça devient étrange entre toé pis moé.

Éliza sort un billet de cinquante dollars froissé, qu'elle avait caché dans son paquet de cigarettes.

ÉLIZA

Je veux pas jouer à cte jeu-là. Je suis pas à vendre... Dis-moé pas que c'est pas toé qui l'as glissé dans mon change. Je prendrais pas de mensonges de toé. Pas après quinze ans à se voir à tous les jours.

DEMPSEY

Elle fait la difficile.

ÉLIZA

Tiens!

Éliza lui lance le billet.

JACK

J'aurais pas dû.

ÉLIZA

Si t'as de l'argent à gaspiller., sers-toé-z-en pour remettre l'hôtel à l'heure d'aujourd'hui. Y a tellement de vieilles affaires qui traînent. C'est toute pareil comme c'était quand je suis entrée icitte pour la première fois.

JACK

Oui.

ÉLIZA

Faudrait que tu mettes de l'argent pour redécorer. Faudrait que tu repeintures, que tu défonces des murs, que tu refasses le plancher.

JACK

Oui.

ÉLIZA

Dis-moé pas oui-oui comme ça. Tu comprends rien de ce que je viens de te dire.

JACK

J'ai compris.

ÉLIZA

Je pars, Jack.

Silence.

DEMPSEY

Partir où? De quoi qu'elle parle?

ÉLIZA

C'est peut-être le cinquante piastres qui m'a finalement convaincue de prendre la décision. Mais c'est pas juste ça... J'ai passé quinze ans à attendre que quelqu'un arrive. Mais là, y faut que je me rende à l'évidence, cte personne-là arrivera pas. Pas tu suite, pas jamais. Fa que... Je vas aller ramasser mes affaires dans la salle de bain...

Sortie d'Éliza.

DEMPSEY

Laisse-la pas filer. Retiens-la!

JACK

Je peux pas la retenir.

DEMPSEY

Tête épaisse! C'est à ce moment-là qu'y fallait cracher ton morceau.

JACK

Elle s'en va.

DEMPSEY

T'as juste à lui dire que tu la veux.

JACK

Elle ramasse ses affaires dans la salle de bain.

DEMPSEY

Va l'arrêter. Jette-toé sur elle.

JACK

C'est peut-être mieux qu'elle parte.

DEMPSEY

Elle doit pas partir. C'est ta dernière chance. Dernière!

JACK

Tant pis.

DEMPSEY

Laisse-la pas te glisser entre les doigts. Elle est à toé, rien qu'à toé. Y a personne qui va te l'enlever.

JACK

Des années que je regarde les choses se détériorer, icitte. L'hôtel est tout le temps vide. Pus personne vient boire. Juste des vieux de la vieille, des habitués qui pensent que changer d'habitudes ça va les tuer.

DEMPSEY

Vas-tu toujours être un spectateur de ta propre vie?

JACK

C'est ma pénitence.

DEMPSEY

Quand t'as acheté l'hôtel, t'étais encore fringant, t'avais du nerf dans la colonne. Tu te foutais ben du destin pis de ta pénitence. T'as acheté la place pour te purger des mensonges pis des trahisons. La vie t'avait ben fourré, fa que t'allais la fourrer comme y faut à ton tour. Tu t'es fait un tas de nouveaux chums, tu couchais avec toutes les catins qui venaient travailler pour toé, tu mangeais le gros steak pis tu prenais ton fort *straight*... Pis t'es allé la chercher, Éliza.

JACK

Si elle part, ça va redevenir comme avant.

DEMPSEY
Tu dois aller jusqu'au bout avec elle.

JACK
Je vas toujours avoir mal aux mains.

DEMPSEY
Lève tes poings. Mets-y du cœur!

JACK
Je vas rester tu seul icitte. Seul avec les murs.

DEMPSEY
T'as déjà été le plus fort! Un tueur de beûs! Mets-y du cœur!
Bats-toé pour celle que tu veux.

JACK
Je veux pus me battre.

DEMPSEY
Bats-toé pour celle que tu veux.

JACK
Ferme-toé, Dempsey!

DEMPSEY
Ferme tes poings, Jack!

Jack et Dempsey se battent.
Entrée de Virgile.
Ils s'immobilisent.

DEMPSEY
Ton Sauvage est revenu.

JACK
L'Indien!

DEMPSEY
Je t'avais dit de pas te battre avec les Sauvages.

VIRGILE
Bonjour, monsieur. Mon char est pris dans un banc de neige.
Pourriez-vous me donner un coup de main?

Silence.

VIRGILE
À deux, je suis sûr qu'on pourrait y arriver.

Silence.

VIRGILE
Je peux-tu utiliser le téléphone? Pour appeler un garage.

DEMPSEY
Le téléphone marche pas.

Silence.

VIRGILE
Y a pas un téléphone public?

DEMPSEY
Les jeunes l'ont arraché du mur. Ys sont partis avec.

Silence.

VIRGILE
Vous êtes pas jaseux, vous... Servez-moé quelque chose pour
me réchauffer. Un rye.

Virgile va s'asseoir. Il enlève son manteau.

DEMPSEY
Que c'est qu'y vient faire icitte?

JACK
Pas une place pour toé, icitte.

VIRGILE
Un rye, s'il vous plaît, monsieur?

DEMPSEY
Dis-y de s'en aller.

JACK
Va-t'en.

VIRGILE
Je vas attendre que ça se calme un peu.

DEMPSEY
Mets-le dehors.

JACK
Tu peux pas rester.

VIRGILE
C'est à toé, l'hôtel, ou quoi?

DEMPSEY
Y va tout gâcher.

JACK
Retourne d'où tu viens.

VIRGILE

J'ai demandé un rye.

JACK

L'hôtel est fermé aujourd'hui.

VIRGILE

T'aurais dû garder ta porte barrée si tu voulais pas de clients.

Silence.

JACK

Comment t'as fait pour me retrouver?

VIRGILE

J'ai suivi les néons de l'hôtel à travers les rafales de neige... Tu loues-tu des chambres, monsieur? Si jamais le vent tombait pas...

JACK

Pas de chambres à louer.

VIRGILE

Y doit ben y avoir un ptit coin où je pourrais m'étendre quelques heures?

JACK

Non!

VIRGILE

Servez-moé au moins un ptit rye.

Entrée d'Éliza. Elle a placé dans un sac ses affaires de la salle de bain.

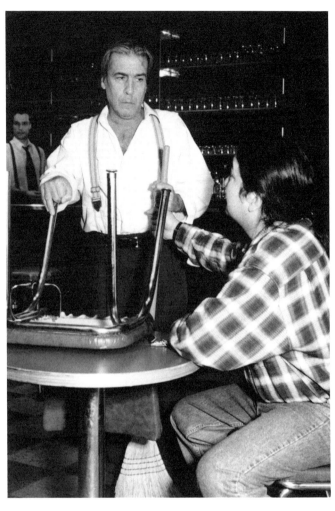

T'aurais dû garder ta porte barrée si tu voulais pas de clients.

ÉLIZA
J'ai ramassé mes affaires.

JACK
T'as pas besoin de partir.

VIRGILE
Mon rye, monsieur?

JACK
Je t'ai dit de t'en aller.

ÉLIZA
Voyons, c'est pas une manière de parler aux clients.

JACK
C'est pas un client.

VIRGILE
Y veut pas me servir.

JACK
Va retrouver ton char.

ÉLIZA
Y fait tempête dehors. Laisses-y le temps de se réchauffer.

VIRGILE
Un ptit rye.

ÉLIZA
Je peux le servir, si tu préfères?

JACK
Y a-tu de quoi payer?

ÉLIZA

Je vas faire sûr qu'y paie ses consommations.

DEMPSEY

Y est venu payer une vieille dette.

ÉLIZA

Je vas m'occuper de lui. Je peux ben faire ça avant de partir. Mon dernier client. La dernière fois que je vas mettre mon tablier.

Éliza enlève son manteau. Elle attache son tablier.

DEMPSEY

Elle s'est faite belle pour toé.

JACK

Je vas aller ranger les bouteilles en arrière.

DEMPSEY

Maudite lavette!

Sortie de Jack, suivi de Dempsey.

VIRGILE

T'as une belle robe.

ÉLIZA

C'est pour souligner mon départ.

VIRGILE

Un verre pour arroser ça.

Éliza lui sert un verre de rye.

VIRGILE
À ton départ!

Virgile boit son verre d'un trait.

VIRGILE
Ça goûte l'eau.

ÉLIZA
Tiens.

Elle lui verse un autre verre de la bouteille non diluée.
Elle sort son jeu de tarots, brasse, place son jeu.
Virgile s'approche d'elle.

VIRGILE
Un jeu de tarots! Madame voudrait deviner l'avenir?

ÉLIZA
Je me tire les cartes pour le fun. Ça passe le temps quand le temps est long.

VIRGILE
Tu m'as-tu vu dans tes cartes avant que j'arrive? J'étais qui? Celui-là, le Fou? Ou ben lui, le Bateleur?

ÉLIZA
Je tire souvent le Bateleur. Mais dernièrement, c'est plutôt le Chariot qui domine. Ça veut dire qu'y a du changement dans l'air.

VIRGILE
Fa que t'as décidé de partir.

Silence.

VIRGILE

Je suis ben content que tu sois là. Ton boss commençait à me faire chier.

ÉLIZA

Y est pas méchant. Y a juste perdu le tour avec les clients. C'est pour ça que c'est presque toujours vide. Dans le temps, quand j'ai commencé à travailler icitte, ça grouillait de monde. Mais, comme ben des places, ç'a perdu son souffle.

VIRGILE

Ça vaut plus cher à terre que debout, ces vieux hôtels-là. Ça prendrait un petit incendie... accidentel... Le lendemain, la pelletée de cendre vaut son pesant d'or. Si la place est assurée, ben sûr.

ÉLIZA

Peut-être ben que Jack devrait faire ça. L'hôtel pourrait renaître de ses cendres, mieux qu'avant, plus beau, débarrassé du passé pis de toutes les vieilles histoires... C'est Jack le proprio, y fera ce qu'y voudra...

VIRGILE

T'as rien qu'à l'épouser, pis mettre le feu avec lui.

ÉLIZA

Je veux pas épouser personne.

VIRGILE

Pis ça, c'est la bague de ton futur ou ben de ton ex?

Éliza porte autour du cou une chaîne, au bout de laquelle pend un anneau en or.

ÉLIZA

C'est le jonc de mon père. Y me l'a donné quand y est parti, comme un cadeau, comme pour me dire qu'y reviendrait pus jamais... Y était tanné de ma mère. Y s'est trouvé une autre femme, plus jeune, moins chialeuse.

VIRGILE
On peut pus croire au mariage.

ÉLIZA
Quand j'étais plus jeune, j'ai ben rêvé à un beau mariage. Mais j'ai passé l'âge de me faire accroire qu'un prince charmant va venir me donner un bec pis je vas me réveiller dans un conte de fées.

VIRGILE
Je dirais pas. Moé, je te trouve encore belle à marier.

ÉLIZA
Niaise-moé pas.

VIRGILE
Je te verrais ben dans une belle grande robe blanche, toute de dentelles pis de perles.

ÉLIZA
Avec une grande traîne, hein?

VIRGILE
Tellement longue qu'elle s'étend jusque dans le stationnement de l'église. Parce que tu te maries à l'église, hein?

ÉLIZA
Une église bondée de monde, toute ben habillés. Une église pleine de lumière, d'or pis de cristal.

VIRGILE
Pis y a un grand orgue, pis une chorale.

ÉLIZA
Pis des filles d'honneur.

VIRGILE
Pis des gars d'honneur.

ÉLIZA
Pis des fleurs.

VIRGILE
J'ai l'impression d'avoir déjà assisté à ton mariage.

ÉLIZA
Mais y manque le marié.

VIRGILE
Ah, ben ça, c'est ben dommage. On était ben partis.

Silence.

ÉLIZA
T'es un bel Indien, toé.

VIRGILE
Tu veux dire que je suis beau pour un Indien?

ÉLIZA
Je trouve que t'es un bel homme, Indien ou pas.

VIRGILE
T'es une belle femme, Blanche ou pas.

ÉLIZA
Tu viens pas d'icitte, toé?

VIRGILE

Non. Mais, moé, j'ai comme l'impression de te connaître, de t'avoir déjà rencontrée. Peut-être dans une autre vie?

ÉLIZA

Je suis jamais sortie d'icitte.

VIRGILE

Oui, oui. Tu t'en souviens pas? J'étais le Prince charmant pis t'étais la Belle aux bois dormant.

ÉLIZA

Tu te trompes. J'étais la sorcière qui mange les ptits enfants.

VIRGILE

Justement, j'ai faim.

ÉLIZA

Tu peux aller te chercher quelque chose à l'épicerie en face. Ça doit être ouvert. Sinon y a le Coffee Shop deux coins de rue plus loin.

VIRGILE

J'ai roulé toute la nuit. Je suis fatigué. Ça me tente pas de retourner dans la blanche neige, Blanche Neige.

ÉLIZA

Je suis pas Blanche Neige.

VIRGILE

T'as pas une pomme à m'offrir? Je la mangerais même empoisonnée.

ÉLIZA

Ben? Tu peux te joindre à Jack pis moé. Y va grogner quand y va te voir à la table, mais... Ah, tant pis pour lui!

VIRGILE

Tu t'es accotée avec ton patron?

ÉLIZA

Je reste avec ma mère, mais je mange icitte.

VIRGILE

Pis ça, dans le sac, c'est tes poêlons pis tes casseroles?

ÉLIZA

C'est juste des affaires de bain.

VIRGILE

Ah, la petite sirène mouille sa queue dans le bain de monsieur?

ÉLIZA

Je prends un bain avant de rentrer chez nous. C'est plus commode de le faire icitte. Chez nous, ça réveille ma mère, pis je suis obligée de l'endurer pendant qu'elle me parle de ses intestins, moé dans la mousse, elle sur le bol de toilette.

VIRGILE

Je prendrais aussi un bain après le repas. Tu pourrais t'asseoir sur le bol de toilette pis me raconter ta vie.

ÉLIZA

Tu pourrais te parler tout seul.

VIRGILE

Pis après, je dormirais un peu.

ÉLIZA

Y a pas de lit pour la visite.

VIRGILE

Y doit pas dormir sur le plancher, ton patron?

ÉLIZA

Si tu veux dormir icitte, tu prendras le vieux sofa dans la remise par là.

VIRGILE

J'aimerais mieux un lit. C'est plus confortable à deux.

ÉLIZA

Tu dormiras tout seul... Viens. C'est juste en arrière.

Ils sortent.
Dempsey entre dans la lumière.

DEMPSEY

D'un hôtel à l'autre, dans la lumière ou ben dans l'ombre, je faisais le monde. C'est ça qu'ys venaient voir. C'est pour ça qu'ys étaient là. Ys venaient nous voir jouer avec l'ombre pis la lumière, l'éternel combat, le bien et le mal, Dieu et Satan. C'est ça que je leur donnais, aux nioches pis aux beûs. L'éternel combat. Entre le ptit pis le grand, le ptit ange pis le méchant géant. De la magie tout ça. De l'alchimie. Le plomb devenait de l'or. Le sang devenait du cash. La vie devenait plus grande que les usines pis les mines pis les camps de bûcherons.

Entrée de Jack, une assiette et une fourchette à la main. Il va s'installer au comptoir pour manger.

DEMPSEY

Tout le monde sortait de l'ombre pour entrer dans la lumière. Tout le monde entrait dans le combat. Chaque coup de poing, chaque goutte de sang, c'était toutes les vengeances, toutes les frustrations, toutes les envies... C'était l'Homme contre Dieu. Pis ça levait de terre quand l'ange envoyait le géant embrasser le plancher! Tout le monde voulait voir le géant écraser l'ange. Ys avaient tous misé sur lui, parce c'était de l'argent facile. Mais quand leur colosse avait la face dans son sang pis sa bave, ys avaient le sentiment mélangé... Pus personne croit aux anges, la vie est remplie d'anges écrasés; les anges ont pas le droit de gagner, mais d'en voir un qui défie le destin, maudit que ça fait du bien, même si, au change, on vient de perdre quelques piastres, quelques heures de notre sueur.

Jack a fini de manger. Il pose les mains sur les bouteilles comme pour poursuivre la dilution. Il hésite.

DEMPSEY
Reste pas là à regarder les bouteilles. Prends-en un bon coup.

Jack laisse les bouteilles.

DEMPSEY
T'as vraiment pas de couilles! Le Sauvage entre pis mange à ta place à ta table en compagnie de ta belle Éliza, pis t'arrives pas à élever la voix. Tu plies l'échine, tu ramasses ton assiette pis tu viens manger dans ton coin comme un chien. Pauvre pitou!

JACK
Commence pas.

DEMPSEY
Y fallait le jeter dehors dès qu'y a poussé la porte.

JACK
C'est trop d'affaires en même temps. Je comprends pas ce qu'y fait icitte. C'est pas possible.

T'as vraiment pas de couilles!

DEMPSEY
Je pensais que tu l'avais tué, le Sauvage.

JACK
Y est revenu se venger.

DEMPSEY
C'est-tu icitte que tu l'as tué?

JACK
C'est pas possible que ce soit lui.

DEMPSEY
T'avais besoin de cogner sur quelqu'un, ce soir-là... Je pensais
que tu l'avais tué?

JACK
Y lui ressemble.

DEMPSEY
C'est lui.

JACK
Le passé peut pas revenir dans le présent.

DEMPSEY
Vous le voyez, mon gars. Un ptit cul de rien. Y va vous mettre
de l'action dans l'hôtel à soir.

Jack se lève.

DEMPSEY
Reste assis, Jack... Baisse la tête. Regarde ton verre. Prends
ton air de ptit peureux. C'est ça.

JACK
Ys sont gros à soir, les beûs.

DEMPSEY
C'est mieux de même. Plus ys sont gros, plus y va y avoir
d'argent sur la table. T'as pas peur, hein? T'as pas peur. Je le
sais que t'es capable. T'es capable de mettre n'importe quel
beû à terre, d'un seul coup de poing. Pis même s'y en a un
qui te frappe dur, tu plieras pas la tête. T'as une barre de fer
dans le cou. Pis tes bras sont des pistons. Pas peur. T'es le
plus ptit icitte pour tu suite. Mais tout à l'heure, quand tu vas
avoir assommé le beû, tu vas être le plus grand. Le plus grand
icitte-dans.

JACK
Quand c'est que ça commence? Les mains me démangent.

DEMPSEY
C'est soir de paie. Ça va payer gros tantôt. Attends, icitte. Bois
ton verre à ptites gorgées.

Dempsey se dirige vers le bar.

DEMPSEY
Messieurs, je vous propose un combat. Une bataille à coups
de poing, pas de temps limite, pas de règlements; le premier
qui tombe pis qui se relève pas perd... Mon gars, assis là-bas,
contre n'importe quel homme icitte. N'importe quel... Vous le
trouvez trop ptit? Ben allez-y, tapez dessus, voir.

Dempsey fait le tour des tables.

DEMPSEY
Qui veut se mesurer au ptit Canadien français! Oui, messieurs.
Une vraie soupe aux pois! *«Pea soup! Real French-Canadian
pea soup!»*

Éliza sous les traits de Betty entre dans la lumière. Elle va s'asseoir à une table.

DEMPSEY

Toé, là-bas! C'est ça. Enlève ta chemise. Montre-nous tes gros bras. Oh, mes amis! Hercule!... Faites vos gageures. Je les prends toutes.

Dempsey va rejoindre Jack.

DEMPSEY

Garde ta tête baissée. Ôte ta chemise tranquillement. Écoute-les rire de toé. La bande de nioches!

JACK

Je voudrais parler à Betty.

DEMPSEY

T'y parleras après avoir démoli le beû. Contente-toé de la regarder pour tu suite. Tu la veux, hein? Mais y faut que tu la mérites. Elle se donnera pas à n'importe qui.

JACK

Je veux la marier.

DEMPSEY

C'est pas le temps de parler de ça. La bataille va commencer. Ferme tes poings. Mets-y du cœur! Mets-y du cœur!

Dempsey pousse Jack au centre.

DEMPSEY

C'est parti!

Jack se bat contre un adversaire imaginaire.
Dempsey va rejoindre Betty.

DEMPSEY

Betty! T'es belle dans ta nouvelle robe. Belle à croquer. Une chance qu'y a deux gars qui se battent, sinon tous les yeux se garrocheraient sur toé pis ça serait la guerre icitte-dans.

BETTY

Y m'a demandée en mariage. Y m'a donné une bague de fiançailles. Que c'est que je suis censée faire?

Betty a accroché la bague à une petite chaîne.

DEMPSEY

Dis-y non. Faut le garder sur son désir. T'es le feu qui brûle dans son ventre. C'est pour toé qu'y plante des beûs. Plus y te désire, plus y fesse fort.

BETTY

J'aimerais ben lui dire oui.

DEMPSEY

T'aimerais ben, mais t'es pus capable. T'es pus la ptite fille ben simple que t'étais chez ta mère. T'es une femme, Betty. Une maudite belle femme désirable. Rien qu'en fumant une cigarette, tu les fais bander ben raide... Tiens, donne-moé la bague. Je vas régler ça avec Jack.

BETTY

Y me l'a donnée à moé. Je vas y redonner en main propre.

DEMPSEY

T'as du mordant dans la voix à soir, toé.

BETTY

Je suis tannée, écœurée, fatiguée de me promener d'hôtel en hôtel.

DEMPSEY

Souris. Montre tes belles dents blanches. Ça va l'encourager. Regarde-le fesser sur le beû. Un vrai démon. Vas-y, Jack! Sacre-le à terre.

BETTY

Tannée de voir du sang!

DEMPSEY

Pas de crise, là. Tiens. T'as juste besoin d'un ptit remontant. Je vas aller te chercher ça. Croise tes jambes. Montre tes genoux.

BETTY

Monte mon *drink* à ma chambre. Tout m'écœure.

Betty se lève et sort dans l'ombre.

DEMPSEY

Je peux pas le laisser là, lui. En plein milieu des coups. Tourne-toé de bord. Envoyes-y un bec.

Dempsey va au bar. Il remplit un verre. Il se dirige vers la sortie. Jack intervient, le retient.

JACK

Que c'est que t'as fait à Betty après? Où c'est que tu l'as emmenée?

DEMPSEY

Personne a jamais pu te mettre à terre. Même la face en sang. Même les yeux noirs. Même les lèvres fendues. Même les poings écorchés. Tu restais debout. Les jambes molles, mais t'étais debout. Y a juste Betty qui a pu te jeter à terre pour de bon.

Jack se rue sur Dempsey.

JACK
Tu l'as brisée!

DEMPSEY
Pousse pas, lavette. Sinon je vas t'en faire baver un maudit coup. M'as te raconter dans les moindres détails toutes les fois que Betty pis moé, on a branlé le *boxspring*. M'as te raconter comment sa langue chaude s'enroulait dans mon oreille quand je la prenais... Assieds-toé.

Silence.

DEMPSEY
Je te gage qu'ys sont dans ta chambre, elle pis lui. Y goûte aux plaisirs que tu refuses d'avoir avec elle. Toé, la maudite lavette!

JACK
Lâche-moé.

DEMPSEY
Y l'a, lui, le Sauvage. Y est dans ton lit avec elle.

Entrée d'Éliza. Jack ne la remarque pas.

JACK
Tu le sais pas.

DEMPSEY
Elle est rien qu'une salope! Elle se donne au premier venu.

JACK
Y se passe rien.

DEMPSEY

Des années qu'elle te fait baver. Des années qu'elle te provoque. Des années qu'elle s'amuse à te faire bander sans rien te donner en retour.

JACK

Arrête!

DEMPSEY

Elle a choisi le Sauvage, pas toé.

JACK

C'est pas comme ça.

DEMPSEY

Elle rit de toé.

JACK

Tais-toé!

ÉLIZA

C'est rendu que tu te parles tu seul en plus?

JACK

Non. C'est... Rien. Je...

DEMPSEY

La pute!

ÉLIZA

C'est inquiétant.

JACK

Y est pas avec toé?

ÉLIZA

Y fait une sieste dans ton lit. J'espère que ça te dérange pas.
J'ai changé les draps pis toute, avant.

JACK

Tu l'as fait dormir dans mon lit!?

DEMPSEY

Je te l'avais dit.

ÉLIZA

Choque-toé pas.

JACK

Y a pas d'affaire icitte.

DEMPSEY

Fâche-toé.

ÉLIZA

Y est tu seul. Y connaît personne. Y fait tempête dehors. Tu
peux ben le laisser se reposer un peu.

JACK

Je veux pas le voir!

ÉLIZA

Ben, tu t'arrangeras avec lui quand y va se réveiller. Moé,
faudrait que je rentre chez nous. J'ai ramassé mes affaires. J'ai
pus rien à faire icitte.

Éliza attrape son manteau.

JACK

Pars pas. Pas tu suite.

ÉLIZA

Y faut.

JACK

Laisse-moé pas tu seul avec l'Indien.

ÉLIZA

T'as peur de lui?

JACK

Je veux pas qu'y reste dans mon hôtel.

ÉLIZA

T'as pas de quoi contre les Indiens, toé? C'est pas le premier qui entre icitte.

JACK

Reste jusqu'à ce qu'y se réveille. Pis tu y diras de partir.

ÉLIZA

Ça va dépendre si la tempête s'est calmée.

JACK

Tempête ou pas, y faut qu'y parte.

ÉLIZA

Que c'est que t'as, aujourd'hui?

JACK

Je suis fatigué. Je veux pas voir personne.

ÉLIZA

Tu devrais t'étendre.

JACK

Où?

ÉLIZA

Dans la remise, en arrière, à côté des caisses de bière vides, y a le vieux sofa.

JACK

Je le sais où y est, le vieux sofa.

ÉLIZA

Je voulais juste aider.

JACK

C'est correct. C'est moé qui est de mauvaise humeur. Je devrais pas m'en prendre à toé...

ÉLIZA

Je vas rester jusqu'à ce qu'y s'en aille. Va te reposer.

Éliza dépose son manteau.

JACK

Je m'excuse pour le cinquante piastres.

ÉLIZA

Ça me fera pas changer d'idée. Je suis trop décidée pour revenir sur ma décision.

JACK

T'es pas heureuse, icitte?

ÉLIZA

Toé, t'es-tu heureux?

Silence.

ÉLIZA

Le bonheur est pas possible entre ces quatre murs-citte. Même les réguliers sont pas heureux. Ys attendent de quoi. Pis ça fait tellement longtemps qu'ys attendent, qu'ys savent pus ce qu'ys attendaient. C'est peut-être comme ça pour moé... C'est toé qui es venu me chercher, Jack. Pis quand je suis entrée icitte, j'avais besoin de... Ah, pis rien... J'ai pas besoin de retourner en arrière. Je vois où ce que je suis aujourd'hui, pis ça me reste pas dans le cœur. Y faut que je parte.

JACK

Pars pas.

ÉLIZA

Je vas te faire mal si je reste. Ça peut pas être autrement. On est rendus au bout de la corde, toé pis moé. Pis soit qu'elle casse ou ben qu'on se pende avec.

JACK

Peut-être que, quand l'Indien partira, peut-être qu'on pourrait passer un ptit peu de temps ensemble, toé pis moé. Pour se parler. On fermera l'hôtel, pis on se fera cuire deux bons steaks. On pourrait faire ça. Ça te tenterait?

ÉLIZA

Ça changera rien.

JACK

Ça va être notre dernier repas.

ÉLIZA

Je peux-tu te dire non?

JACK

Je vas aller fermer les yeux un peu. Je suis tellement tendu, j'ai de la misère à m'ouvrir les mains.

ÉLIZA

Repose-toé.

Sortie de Jack.
Éliza va derrière le comptoir. Elle s'allume une cigarette,
sort son jeu de tarots.

ÉLIZA

Dans le film, je me marie. Je suis tellement heureuse quand y
me dit oui devant l'autel, pis que j'y glisse un anneau au doigt.
Y est à moé, juste à moé. Mon homme. Y est beau. Tellement
beau que je peux pas le décrire. Ses yeux sont les yeux de
tous les hommes. Je sais pas si ys sont bleus ou ben si ys sont
noirs. Quand y me regarde, je vois toute l'avenir, notre futur,
dans la couleur de ses yeux.

DEMPSEY

Une grande maison, pleine de servants. Une piscine pis des
palmiers. La cour remplie de chars, un différent pour chaque
jour de la semaine.

ÉLIZA

Dans le film, après les noces, on est dans la chambre des
mariés. Je sors de ma robe blanche. Je le sors de son tuxedo
noir. Je passe ma main dans ses cheveux. Pis quand je
l'embrasse, c'est sucré dans sa bouche.

DEMPSEY

On boit du champagne à journée longue. Pas dans des cou-
pes, on le boit direct de nos souliers. Du champagne, du
caviar pis des gros cigares.

ÉLIZA

Mes mains caressent sa peau douce. Mes doigts fouillent son
corps, frôlent sa chaleur... Je suis à lui. Y est à moé.

DEMPSEY
T'es à moé.

ÉLIZA
Dans le film, y finit toujours par me quitter. Pis je m'entortille dans ma robe blanche pour pleurer. J'essaie de refaire son image dans ma tête, mais mes larmes lavent les couleurs au fur et à mesure, pis j'y arrive pas.

DEMPSEY
À moé.

ÉLIZA
Dans le film, je pars toujours à sa recherche...

DEMPSEY
À moé!

ÉLIZA
Dans le film, je le retrouve toujours dans les bras d'une autre dans un motel *cheap*...

DEMPSEY
À moé!

ÉLIZA
Dans le film... je le vois mais je le reconnais pas.

DEMPSEY
Betty.

ÉLIZA
Dans ma robe de mariée, je cours, le voile dans le vent, la traîne toute déchirée, pleine de boue.

DEMPSEY
Maudit que t'es belle!

ÉLIZA
Je cours comme une folle à travers un champ.

DEMPSEY
Tu vas monter aux étoiles.

ÉLIZA
Mon homme est parti.

DEMPSEY
Ma *movie star*.

ÉLIZA
Je vas le retrouver.

DEMPSEY
Betty?

Dempsey s'approche d'Éliza. Elle arrête de tirer les cartes.

DEMPSEY
Reste avec moé, Betty, pis tu vas te rendre loin, je te le garantis. Je suis un gars capable. Capable de t'ouvrir des portes. C'est pas avec le ptit Jack que tu vas entrer dans le Monde. Jack, c'est juste une pierre de gué. Y va nous porter, tous les deux, de l'autre côté, dans la lumière brillante des étoiles, loin des lueurs fades des hôtels. Un jour on embarquera dans mon char, toé pis moé, pis on se rendra à la Ville des *stars*.

Éliza devient Betty.

BETTY
Tu me fermes les yeux pour mieux me faire rêver, hein? Ou

c'est-tu pour me garder dans le noir? Hein, Dempsey? Tu vas-tu me crosser comme t'es en train de crosser Jack?

DEMPSEY
Toé, je te trahirai jamais.

BETTY
C'est ce que les hommes disent quand ys désirent une femme.

DEMPSEY
Tu peux me croire. J'ai toujours été franc avec toé, hein? Je t'ai toujours montré mon jeu. Quand je t'ai demandé de nous suivre, Jack pis moé, d'hôtel en hôtel, je t'ai ben expliqué clairement ce que j'attendais de toé.

BETTY
L'objet du désir.

DEMPSEY
Un bon batailleur, ça lui prend un objet du désir.

BETTY
C'est pas toé qui m'as choisie, c'est Jack... Pour toé, j'étais pas un objet du désir dans ce temps-là. J'étais trop simple. Y a fallu que tu m'habilles, que tu me maquilles pour faire de moé une femme désirable.

DEMPSEY
T'es la plus belle femme du monde. Mais y faut que tu comprennes que le temps est pas encore venu. Y reste encore quelques piastres à faire avec Jack.

BETTY
J'attendrai pas toute ma vie. Tu m'as tellement faite rêver que je peux pus attendre. Je vas virer folle, icitte. C'est pus ma place, icitte.

DEMPSEY
Faut patienter encore un peu.

BETTY
Je suis pas Jack, moé. Tu me garderas pas aller juste avec des promesses vides. Encore un peu, c'est trop. Je veux le Monde tout de suite, pas demain.

DEMPSEY
Calme-toé.

BETTY
Je vas partir, toute seule ou avec un autre. Je vas partir. Pis je vas vous laisser là, toé pis Jack, avec vos batailles, pis votre sang, pis vos hôtels sales.

DEMPSEY
Je te laisserai pas faire ça.

BETTY
Si tu me veux, tu vas partir avec moé.

DEMPSEY
Je te veux mais c'est pas le temps.

BETTY
Tu penses plus à Jack qu'à moé. Tu peux faire de l'argent avec lui, mais moé, je te coûte cher.

DEMPSEY
Bientôt, je ferai de toé la plus brillante des *movie stars*.

BETTY
Tu dis ça juste pour me garder attachée à toé.

DEMPSEY
Tes rêves vont se réaliser.

BETTY
T'es un parasite. Tu vis sur les rêves des autres. Tu fais du cash sur nos désirs. Parce que t'as rien dans le corps, ni dans le cœur, toé. Rien qu'un signe de piastre. J'aurais jamais dû te laisser me convaincre de te suivre. J'aurais dû dire à Jack d'arrêter de se battre, de se trouver un travail honorable, pis de m'épouser pis de me faire un enfant. Là, même pauvre, je serais heureuse. Là, je serais pas pognée dans ta toile d'araignée. Tu te sers de moé comme tu te sers de Jack. Pis quand Jack sera rien que l'ombre de lui-même, tu vas te tourner vers moé, tu vas faire de moé une guidoune qui va cracher du cash dans tes poches, parce que j'aurai pas le choix.

DEMPSEY
Tu te trompes. C'est pas pareil. Toé, je t'aime.

Elle lui lance le contenu de son verre au visage.

BETTY
Dis-moé pas des affaires de même.

DEMPSEY
C'est vrai.

BETTY
Comment tu veux que je te croie! On peut jamais savoir la couleur de ce qui te sort de la bouche.

DEMPSEY
Je t'aime. J'ai jamais dit ça à une femme avant.

T'es un parasite. Tu vis sur les rêves des autres.

BETTY

Ben prouve-le. Embarque-moé dans ton char. Tout de suite. À
soir. Partons.

DEMPSEY

Demain.

BETTY

Le soleil se lèvera pas demain, si tu m'embarques pas dans
ton char à soir.

DEMPSEY

Fais-moé pas ça. C'est pas par des menaces...

BETTY

Ni par des cajoleries!... Va ramasser tes gageures en bas. Va
mousser ton homme. Ys t'attendent, tes semblables. Va rire
avec eux autres. Va te saouler la yeule pendant que Jack pis
un inconnu se taperont dessus. Mais quand le fun va être fini,
quand y restera juste l'odeur de la boucane pis du sang, tu
viendras voir si je suis là. Maudit rat!

DEMPSEY

Betty.

BETTY

Va-t'en!

Il s'approche d'elle, lui saisit le poignet.

DEMPSEY

Tu partiras pas. Je te laisserai jamais partir. T'es à moé. Moé.
Moé qui t'a faite. Moé qui fais le Monde pour toé... Pars pas
en peur avec tes peurs. Dis-toé ben que je suis là, pis je serai

toujours là. Jusqu'au bout de ta vie. Pis ta vie, je vas te la faire comme tu la veux. Ma *movie star*. Je vas te monter haut dans le ciel. Tous les hommes vont te désirer. Je vas t'accrocher aux étoiles. Tu vas briller plus que l'étoile Polaire. Ma *movie star*!

Dempsey sort dans l'ombre.

BETTY
Quand je vas être une *movie star*, personne va me toucher, personne va me faire chier, personne va me dire quoi faire.

JACK (*dans l'ombre*)
Betty? Betty, je veux te parler. Betty, je peux-tu entrer?

BETTY
Entre.

Jack entre dans la lumière.

JACK
Betty.

BETTY
Que c'est que tu fais icitte? Tu le sais que Dempsey veut pas que tu viennes me voir tu seul.

JACK
J'ai de quoi à te dire.

BETTY
Ben fais ça vite. Si Dempsey te pogne dans ma chambre, y va piquer une crise.

Jack se met sur un genou.

JACK

Élizabeth, je suis venu te demander de m'épouser. Je le sais que j'ai pas grand-chose à te donner mais je t'aime, pis parce que je t'aime, je peux tout faire pour toé. Tiens.

Il tente de lui glisser un anneau au doigt.

BETTY

Fais pas ça. T'es fou. C'est trop vite.

JACK

Je promets de toujours être fidèle. Je promets de t'aimer toujours. Je promets...

BETTY

Arrête tes promesses.

JACK

Je promets de te faire un enfant.

BETTY

Laisse faire.

JACK

Ça va être le signe vivant de notre amour. Ça va vouloir dire que je te quitterai jamais... Laisse-moé te glisser la bague de fiançailles au doigt.

BETTY

Arrête. T'es ben fin, mais...

JACK

Tu veux pas?

BETTY

J'ai pas dit ça. C'est juste que tu me brusques, là. Je m'atten-

Élisabeth, je suis venu te demander de m'épouser.

dais pas à ça. T'aurais dû me prévenir. Tu peux pas juste entrer comme ça dans ma chambre pis te mettre à genoux devant moé avec une bague de fiançailles dans la main. Ça se fait pas.

JACK

Excuse.

BETTY

Écoute. Je vas la glisser sur ma chaîne. O.K.? Juste le temps que je me décide.

JACK

Je suis pas habitué dans ces affaires-là. J'étais pour demander à Dempsey de me dire quoi faire, mais j'étais trop gêné.

BETTY

C'est correct.

JACK

Je vas attendre ta réponse.

BETTY

C'est ça. Attends.

Jack retourne dans l'ombre.

BETTY

Quand je vas être une *movie star*, je vas être à tout le monde, pis à personne en même temps.

Betty devient Éliza, qui retourne à son tarot.

ÉLIZA

Dans le film, je porte une robe blanche toute déchirée. Mon mascara coule sur mon visage, ma bouche est rouge. Lui, y se roule dans les bras d'une autre. Mais je l'ai retrouvé. Y pouvait ben vouloir se cacher dans le cœur d'une autre. Mais y est à moé.

Entrée de Virgile. Il a, à la main, un couteau.

VIRGILE
(*en algonquin*) Akwatcik!... Akwatcik!
(Prononciation: Âgwadjig!... Âgwadjig! Traduction: «Dehors!... Dehors!»)

ÉLIZA
Que c'est... ?

Virgile dépose le couteau sur le comptoir.

VIRGILE
J'ai soif.

ÉLIZA
C'est quoi, l'histoire avec le couteau?

VIRGILE
Je rêvais.

Virgile va s'asseoir.

ÉLIZA
De quoi?

VIRGILE
C'est fini. Là, j'ai juste besoin d'avaler un peu de poison.

Éliza lui apporte un verre et lui redonne son couteau.

ÉLIZA

T'es un drôle de merle, toé. Te réveiller avec un couteau dans la main. Tu dois faire des cauchemars pas mal étranges?

Virgile remet le couteau dans la gaine. Il boit le verre d'un trait.

VIRGILE

J'aurais pas dû rouler toute la nuit. J'ai comme l'impression d'avoir traversé plus que la nuit.

ÉLIZA

Je devrais peut-être me méfier de toé. T'es peut-être pas comme je pense que t'es... Tu m'as même pas dit ton nom.

VIRGILE

Tu me l'as pas demandé... Je m'appelle Virgile.

ÉLIZA

C'est beau.

VIRGILE

Un missionnaire m'a donné ce nom-là. Un bonhomme plus pogné d'histoire que de religion. Y avait appris notre langue, pis y s'imaginait comprendre qui on était parce qu'y pouvait nous parler.

ÉLIZA

C'est-tu loin, ta réserve?

VIRGILE

La réserve... C'est dans le Nord. Loin... Sur la réserve, c'était pauvre. Pauvre pis plate. Les jeunes, on foutait rien. On attendait le retour des avions. Pour le fun, on sniffait de la colle, de l'essence, n'importe quoi qui te donnait un *high*. Pis on s'imaginait qu'on était des aigles invincibles ou ben des guerriers. Mais on était rien que des jeunes morveux, sans avenir, sans passé, sans présent.

ÉLIZA

C'est effrayant.

VIRGILE

Moé, j'ai tout quitté ça. J'ai été chanceux de m'en sortir. C'est le jour où ys ont trouvé mon cousin mort de froid, gelé dans la neige à côté de son skidoo, c'est ce jour-là que j'ai décidé de partir.

ÉLIZA

Je te comprends. C'est pas une vie.

VIRGILE

C'est comme vivre avec la mort dans la face à tous les jours.

ÉLIZA

Ça fait pitié.

VIRGILE

Certain. Fa que j'ai lâché le sniffage. Pis j'ai pris l'avion pour me rendre en ville... Ç'a pas été facile pour moé après. Tu sais, les Indiens, on les aime mieux sur une réserve ou ben au cinéma. Ça fait moins peur.

ÉLIZA

Que c'est que tu fais par icitte?

VIRGILE

Je me promène. Je vois du pays. Je rencontre du monde, des gens intéressants comme toé.

ÉLIZA

Tu travailles pas?

VIRGILE
Des fois... Toé, pourquoi tu lâches ta job?

ÉLIZA
Parce que ça fait quinze ans que je fais la même chose.

VIRGILE
Je te gage que ça fait quinze ans que t'attends de rencontrer l'homme de ta vie?

ÉLIZA
Ça fait longtemps qu'y a pas d'homme dans ma vie ni dans mon lit. Je peux ben finir tu seule. Je suis pas mal habituée.

VIRGILE
Pourtant une femme comme toé devrait pas dormir tu seule. Tu fais faiblir les hommes.

ÉLIZA
Tu parles pour toé?

VIRGILE
Je suis pas insensible à tes charmes.

ÉLIZA
Tu veux-tu me faire rougir?

VIRGILE
J'haïrais pas ça.

ÉLIZA
Ça te servira à rien de t'aventurer sur cte pente-là.

VIRGILE
T'as peur de glisser?

ÉLIZA
Tu pourrais te faire mal.

VIRGILE
Pis si c'était moé, l'homme qui allait te sortir d'icitte?

ÉLIZA
Pas avec un char pris dans la neige.

Silence. Éliza continue son tirage de cartes.

VIRGILE
Où tu vas aller?

ÉLIZA
Je sais pas. Ben loin... Je te raconte trop d'affaires, toé. C'est pas une bonne idée de se confier comme ça à un étranger.

VIRGILE
Je serai peut-être pas toujours un étranger.

ÉLIZA
Une chance pour toé qu'y fait tempête.

VIRGILE
Pour moé ou pour toé?

Silence.

VIRGILE
Tu m'intrigues, Éliza.

ÉLIZA
Casse-toé pas la tête à essayer de me comprendre. Moé-même, je me comprends pus.

VIRGILE

Raconte-moé ton histoire. Ça va t'aider à la comprendre.

ÉLIZA

Je pense pas.

VIRGILE

C'est peut-être le temps de démêler tout ça. Surtout si tu t'en vas. Hein? C'est mieux de partir après avoir vidé son sac que d'avoir à traîner partout une valise pleine de vieilles histoires.

Temps.

ÉLIZA

Si je joue à ton jeu, après ça va être à ton tour de me conter tes secrets?

VIRGILE

Je t'ai déjà raconté mon enfance sur la réserve. Asteur, c'est à toé.

Temps.

ÉLIZA

Y a un trou dans le mur, par là-bas. Si tu regardes dedans, tu peux voir la salle de bain.

VIRGILE

Ça promet.

ÉLIZA

Tous les soirs quand je prends mon bain, Jack me regarde par le trou. Mais y sait pas que je le sais qu'y me regarde.

VIRGILE

Le ptit voyeur.

ÉLIZA

Au début, ça m'a choquée. Mais, après un certain temps, ça me dérangeait pus. Même que je voulais qu'y me regarde. Y me touchait sans me toucher. Je voulais qu'y me désire. Juste ça. J'en voulais pas plus d'un homme... Pis Jack, ben... Y a toujours eu de quoi entre moé pis lui. Même si on se l'est jamais dit... Y est venu me chercher quand je travaillais à l'épicerie. Y est entré un bon jour avec un ptit papier qu'y voulait accrocher au babillard. Mais y l'a jamais accrochée, son annonce, y m'a parlé sans arrêt de la job de serveuse, pis j'ai compris que c'était moé qu'y voulait, pas n'importe qui d'autre. Je pouvais pas y dire non. Je l'ai suivi...

VIRGILE

Que c'est qu'y a entre toé pis lui?

ÉLIZA

Rien. C'est juste dangereux parce qu'y se passe toute pis rien. C'est inévitable, un jour, ça va craquer. Pis moé, j'ai pas besoin de ça. Pas besoin de virer folle.

VIRGILE

Le désir mène à la folie.

Silence.

ÉLIZA

Hier soir, j'ai trouvé un cinquante piastres plié ben ptit dans mon change. Ça venait de Jack.

VIRGILE

Un pourboire ben mérité?

ÉLIZA

Ris pas de moé. Je te l'ai dit, je couche avec personne. Certainement pas pour cinquante piastres. Y avait pas d'affaire à me faire ça.

VIRGILE

Je peux pas croire que c'est la première fois qu'y tente de s'approcher de toé.

ÉLIZA

Y m'a touchée une fois. C'était y a un boute. Y buvait dans ce temps-là. Pis y était pas encore magané comme aujourd'hui...

Silence.

ÉLIZA

Y avait trop bu. Y m'a pogné une fesse. J'y ai sacré une bonne claque dans la face. Y est sorti, le feu dins yeux. J'ai entendu le moteur du char partir. Pis après y a eu un bruit atroce.

Silence.

ÉLIZA

On l'a trouvé, plié en deux sous le *hood* du char, les mains pognées dans la *fan belt*, du sang pis des os cassés partout.

VIRGILE

Fa que t'as eu pitié de lui pis t'es restée fidèle à ses côtés.

ÉLIZA

Peut-être.

VIRGILE

Sinon c'est par amour?

ÉLIZA

Je connais pas ça, l'amour. C'est rien qu'une illusion. Rien qu'une idée qu'on se fait pour remplir le vide qui nous unit à une autre personne.

VIRGILE

C'est vide juste si tu te donnes pas totalement à quelqu'un. Corps et âme.

ÉLIZA

Je me suis déjà donnée corps et âme, comme tu dis. J'avais quinze ans. C'était le grand amour, le vrai. Du moins, c'est ce que je pensais. Mais y m'a flanquée là comme mon père a flanqué ma mère.

VIRGILE

Ça arrive, des peines d'amour, à quinze ans. C'est pas une raison de faire comme la Sainte Vierge.

ÉLIZA

C'en est une raison quand y te laisse avec de quoi dans le ventre. Une ptite flamme que t'es pas capable d'éteindre... Neuf mois dans la maison avec ma mère qui pleurait l'absence de mon père. Neuf mois à sentir à chaque jour que mon corps se préparait à se donner à une autre vie. Mais moé, je voulais pus jamais me donner à un autre... Quand les eaux ont crevé, quand j'ai crié, quand y est sorti de moé pis qu'y a crié à son tour, j'étais déjà morte pour lui... Je l'ai donné en adoption. Je l'ai même pas regardé. Je l'ai même pas tenu dans mes bras... Effrayant, hein?

Silence.

ÉLIZA

Mais j'ai-tu eu mal après ça! Mal partout. J'avais les seins bouillants comme des volcans, pis le vide dans mon ventre m'écrasait. Mais j'ai tenu bon. Je suis restée assise dans ma chambre, sans pleurer, sans rien dire, les dents ben serrées pour pas crier. Ma mère m'avait enveloppée d'un linge ben serré pour arrêter la montée de lait. Je me sentais comme une momie, morte depuis le début des temps.

Temps.

ÉLIZA

J'ai donné la vie à la vie. Je pensais que ça me donnerait un futur, mais ça m'a rien que laissée pognée dans le passé. Pis l'hôtel, c'était une manière de dire «je renonce». C'était descendre en enfer, parce que je le savais que je pouvais pas me rendre au paradis. Fa que tout aussi ben de me rendre au fond du fond. C'est ben là que je méritais d'être... Quand Jack est arrivé avec sa ptite annonce, j'ai pas hésité.

Silence.
Entrée de Jack, suivi de Dempsey.

JACK

T'es encore là, toé?

DEMPSEY

Ben oui.

VIRGILE

Salut, monsieur.

DEMPSEY

Sacre-le dehors.

JACK

Que c'est que t'attends pour reprendre ton chemin? T'as mangé, t'as dormi. Là tu devrais être fin prêt à partir.

ÉLIZA

Y fait encore tempête.

DEMPSEY

L'hôtel est fermé.

JACK

Qu'y aille ailleurs!

VIRGILE

Mon char partira pas. J'ai ben peur que le moteur va être gelé dur. Je vas être obligé de passer la nuit icitte pis je verrai demain.

DEMPSEY

Pas de demain.

JACK

Sors tu suite.

ÉLIZA

T'es pas fin, Jack. Laisse-le faire. Y dérange personne. Je sais pas pourquoi tu t'en prends à lui de même. Y a rien fait. Y est ben correct.

VIRGILE

Oui, monsieur, je suis un gars ben correct, ben gentil. J'ai pas envie de faire du trouble dans votre hôtel... Mais je vois bien que ma présence... rouge, hein?... que ma présence rouge vous trouble pas mal.

DEMPSEY

Montres-y la porte.

JACK

La porte t'attend.

VIRGILE

Vous allez me mettre à la porte? C'est pas très gentil de sacrer les Indiens dehors.

ÉLIZA

On fait pas ça!

JACK

Pousse-moé pas!

DEMPSEY

Rentres-y dedans.

JACK

Je veux juste que tu me laisses tranquille. Aujourd'hui, je veux
voir personne d'autre qu'Éliza.

VIRGILE

Moé aussi, j'aime ben la compagnie d'Éliza. Je la trouve ravis-
sante.

DEMPSEY

Y va coucher avec.

ÉLIZA

Virgile, je t'en prie.

JACK

Virgile?

VIRGILE

C'est moi, monsieur. Virgile. T'aimes pas mon nom? Virgile.
Ça vient du poète romain. Auteur de l'*Énéide*. Tu connais-tu
l'histoire de l'*Énéide*? Ça raconte comment Énée, prince de
Troie, a traversé toutes sortes de pays, comment Énée a vécu
toutes sortes d'aventures, comment Énée est descendu aux
Enfers où son père y a dit les secrets de l'univers.

DEMPSEY

Qu'y lâche Énéné, là, pis les Enfers! Claques-y la yeule.

JACK

Va-t'en!

VIRGILE

Mets-moé la main dessus, voir.

ÉLIZA

Commencez pas quelque chose qui va mal finir, vous autres
deux.

JACK

Je veux pas me battre.

DEMPSEY

Fesse-le!

VIRGILE

Oh, parce que t'es pas de taille aujourd'hui. Mais avant, quand
t'avais la force de ta jeunesse dans tes bras, tu devais pas te
gêner pour jeter dehors sur le cul les indésirables de ma couleur. T'as pas toujours été un manche à balai, hein?

JACK

Joue pas avec moé.

DEMPSEY

Tiens-y tête.

ÉLIZA

Arrêtez-moé ça.

VIRGILE

Mais t'aimerais ça me foutre dehors, hein? Me sacrer une bonne
volée pis me garrocher dans la rue comme un chien sale,
hein? Dis-le donc. C'est ça que t'as dans les bras asteur: juste
l'envie, mais pas la force. Ben reste sur ton envie, monsieur.

Moé, je bouge pas d'icitte. Je vas quitter ton hôtel quand ça
me plaira, pas avant.

JACK
Éliza, dis-y de s'en aller.

DEMPSEY
Pissou!

VIRGILE
Hé, Jack!

ÉLIZA
C'est pas drôle, là.

VIRGILE
Viens, monsieur. Lève-toi, là. Lève, lève, lève!

Virgile soulève Jack par le collet.

VIRGILE
C'est-tu comme ça que tu t'y prenais quand tu faisais le brave
avec les ivrognes? Hein, tu les ramassais par le chignon? T'es
brassais-tu un peu? Comme ça. Juste un peu. Assez pour bien
mélanger l'alcool dans le sang, hein!

ÉLIZA
Lâche-le.

VIRGILE
Tu les regardais-tu dins yeux après? Lève ta tête. Regarde-moé
dins yeux, monsieur. C'est ça. Tu vois-tu les flammes du feu
que j'ai bu? Tu vois-tu le Sauvage qui danse autour du feu? Y
te fait-tu peur?

Tu vois-tu les flammes du feu que j'ai bu?

ÉLIZA
Arrête, Virgile!

Éliza s'interpose. Virgile repousse Jack qui tombe à terre.

ÉLIZA
Calmez-vous!

Jack se relève.

DEMPSEY
Elle prend son bord.

Silence.

JACK
M'as aller le chercher, ton maudit char. Pis je vas te le ramener drette à porte. T'auras pas d'excuse après pour empester
l'air icitte-dans.

DEMPSEY
Sors pas!

ÉLIZA
Jack!

Sortie de Jack dans la tempête, suivi de Dempsey.
Virgile saisit la bouteille de rye.

ÉLIZA
T'as trop bu.

Éliza lui enlève la bouteille des mains.

ÉLIZA
Y est parti sans son *coat*. Y va attraper sa mort dans cte tem-
pête-là.

Éliza attrape son manteau.

ÉLIZA
Je vas le retrouver pis le ramener.

VIRGILE
Peut-être ben que je serai pus icitte à ton retour.

ÉLIZA
Peut-être que ça serait mieux de même.

VIRGILE
Y va aller se dégriser... Empester l'air. C'est vous autres, les Blancs, qui avez empesté le grand air. Vous êtes la peste incarnée. Vous avez empoisonné les rivières, vous avez étouffé les forêts.

ÉLIZA
Arrête.

VIRGILE
Vous êtes une race de voleurs, de tricheurs, pis de menteurs. Rien vous appartient icitte. Tout a été volé... Vous êtes des peuples sans racines... Un cancer qui se répand sur la face de la Terre!

Temps.

ÉLIZA
Tantôt tu me faisais rire; là, tu me fais peur.

VIRGILE
Dans le désir, y aura toujours une dose de peur.

ÉLIZA
Y a pus de désir.

VIRGILE

Y a juste du désir. La vie est un grand désir impossible: Dieu qui voudrait faire l'amour avec sa création.

ÉLIZA

T'es saoul.

VIRGILE

Viens avec moé, Éliza.

ÉLIZA

T'avais pas d'affaire à t'en prendre à Jack comme ça.

VIRGILE

C'est rien qu'un minable. Prends pas sa défense. Écoute. Depuis que je t'ai vue, j'ai envie de toé. Envie pas comme lui. Moé, c'est pas pour te regarder te savonner à travers un ptit trou. Moé, c'est pour te prendre dans mes bras, pis t'embrasser. T'as besoin d'être aimée comme ça, Éliza. Ça se sent autour de toé.

ÉLIZA

Mêle-toé pas de moé.

VIRGILE

Mais je suis mêlé à toé. Je suis déjà en toé. Tu le sais!

ÉLIZA

Je sais rien.

VIRGILE

Viens avec moé. On va se rouler dins draps. On va branler le lit jusqu'à ce qu'y s'effondre. On va tout briser tellement le désir nous lâchera pas.

ÉLIZA

Entre pas dans sa chambre.

VIRGILE

On va le faire icitte, si t'aimes mieux. Sur le plancher. Sur le bar. Dans la boisson.

ÉLIZA

Non.

VIRGILE

Ben on pourrait toujours secouer la poussière du vieux sofa.

ÉLIZA

Va-t'en!

VIRGILE

Viens.

ÉLIZA

Je veux pas.

VIRGILE

Le désir nous pousse en avant. C'est rien que la mort qui nous tire par en arrière... Viens avec moé.

ÉLIZA

Je veux pas.

VIRGILE

M'as t'attendre dans la remise.

Sortie de Virgile.
Éliza enfile son manteau, arrête, hésite. Elle l'enlève et reprend ses cartes.

ÉLIZA

Dans le film... Dans le film... Dans le film, y finit toujours par me quitter. Pis je m'entortille dans ma robe blanche pour pleurer. J'essaie de refaire son image dans ma tête, mais mes larmes lavent les couleurs au fur et à mesure pis j'y arrive pas.

Dempsey entre dans la lumière.

DEMPSEY

Ma *movie star*.

On entend des bouteilles éclater contre un mur.
Dempsey se colle à Betty. Il l'entraîne vers lui.

DEMPSEY

Tu me fais fondre, Betty. Je tiens pus en place. J'ai tellement envie de toé.

BETTY

Prends-moé si tu me veux tant. Je t'appartiens, dans le fond.

DEMPSEY

C'est ben le contraire. C'est moé le possédé.

BETTY

Embrasse-moé.

Dempsey la caresse.

BETTY

Un jour, on va partir, toé pis moé. Tu vas m'amener à la ville des étoiles. Pis je vas devenir une *movie star*.

DEMPSEY

C'est promis.

BETTY
Un jour, tu vas m'épouser.

Jack entre dans la lumière, bouquet de fleurs à la main. Il les regarde, ahuri.
Betty rit aux éclats.
Jack retourne dans l'ombre.

DEMPSEY
Jack! Va-t'en pas.

BETTY
J'avais oublié que j'y avais donné rendez-vous. Hon!

DEMPSEY
Pourquoi t'as fait ça? Ça va le tuer.

BETTY
Les valises sont faites. Elles attendent sous le lit. Partons. Tu suite. Roulons toute la nuit. Au matin, je veux être loin, tellement loin d'icitte.

DEMPSEY
Betty!

BETTY
Je vas être dins *movies*, Dempsey.

Dempsey retourne dans l'ombre.

BETTY
Y a juste dins *movies* que l'amour est possible. Juste dins *movies* qu'une femme peut toute se donner à un homme pis en retour, lui, y va se donner à elle. Juste dins *movies* que je pourrais aimer pour le vrai parce que je ferais semblant...

Dans la vie, quand tu veux vraiment aimer, faut que tu fasses semblant, parce que rien qu'à se toucher on se fait peur...

Des bouteilles éclatent contre un mur.
Betty redevient Éliza.

ÉLIZA

Dans le film, je me marie. Je suis tellement heureuse quand y me dit oui devant l'autel...

Éliza reprend ses cartes.

ÉLIZA

Dans le film... Dans le film...

Entrée de Virgile.

VIRGILE

Tu vois-tu l'Amoureux dans tes cartes?

ÉLIZA

C'est juste des cartes.

Silence.

VIRGILE

J'ai viré la remise à l'envers, j'ai cassé toutes les maudites bouteilles de boisson... Excuse-moé.

ÉLIZA

Y est trop tard pour tes excuses. T'es mieux de t'en aller.

VIRGILE

Pourquoi t'es pas partie?

ÉLIZA

On parle pas de moé. C'est pas moé qui veux mettre le feu, pas moé qui veux me battre, pas moé qui casse tout. Pas moé l'enragé.

VIRGILE

Ma rage est vieille de cinq cents ans. Cinq cents ans que ça brûle, que ça gronde... Je serais pas enragé de même si vos bateaux s'étaient écrasés sur les rochers, y a cinq cents ans.

ÉLIZA

Ben, c'est pas arrivé de même. On est là, ensemble, dans la même place.

VIRGILE

Ça enlève pas ma colère.

ÉLIZA

J'en suis pas responsable. Jack non plus.

VIRGILE

Je suis pas si sûr de ça.

ÉLIZA

Tu peux pas tout blâmer sur nous autres.

VIRGILE

Y fallait ben que j'aboutisse icitte. Face à face avec mes démons pis mes anges.

ÉLIZA

Ouin! Peut-être que c'est à ton tour de me dire tes secrets. Tu me caches des affaires. Que c'est que t'es vraiment venu faire icitte?

VIRGILE
Rien.

ÉLIZA
Qui que t'es?

VIRGILE
Virgile.

ÉLIZA
Fais pas le drôle. Moé, je me suis vidé le cœur devant toé tout
à l'heure. Là, c'est à ton tour.

VIRGILE
Tu veux la vérité?

ÉLIZA
Si c'est possible.

VIRGILE
Je veux coucher avec toé.

ÉLIZA
Niaise-moé pas.

VIRGILE
Pourquoi tu veux savoir la vérité? Je suis rien qu'un Indien,
rien qu'un étranger. T'as pas besoin de savoir la vérité.

ÉLIZA
Peut-être que je pense que c'est pas pour rien que t'es icitte
aujourd'hui?

VIRGILE
Après, tu vas-tu coucher avec moé?

ÉLIZA

T'as une idée fixe, toé.

VIRGILE

Ben...

ÉLIZA

Je coucherai pas avec un étranger.

VIRGILE

À l'école des Blancs, on m'appelait Virgule. Virgile, Virgule, tu comprends le jeu de mots?

ÉLIZA

Je pensais que t'avais grandi sur une réserve!

VIRGILE

Non. Pas de réserve. Pas de sniffage. Pas de cousin mort de froid. Pas d'avion... J'ai grandi en ville... En mariant un Blanc, ma mère a perdu son statut d'Indienne.

ÉLIZA

T'es juste à moitié indien?

VIRGILE

J'ai pas dit que le Blanc était mon père. Mon vrai père était indien. Y est mort dans la rue devant un hôtel... Un hôtel comme icitte. Y aurait pu prendre sa dernière brosse icitte. Y buvait du feu pour faire taire la meute de loups qui hurlait en lui. Pis un soir, y s'est brûlé la cervelle comme y faut, y en est mort... Y est mort, j'avais trois ans...

ÉLIZA

Pis ta mère? Elle vit toujours?

VIRGILE

Ma mère s'asperge d'eau bénite, elle égrène son chapelet, elle plie les genoux devant quelques morceaux de bois... Je suis parti de chez nous pour m'éloigner d'elle pis de ses prières.

ÉLIZA

On a des mères qui se ressemblent.

VIRGILE

Je voulais pus faire semblant d'être le fils d'un Blanc... Je suis allé traîner dans les rues de la ville. Traîner aux portes du seul hôtel où les Indiens avaient le droit de boire. Traîner avec ceux qui étaient comme mon père, ceux qui finiront comme mon père... Souvent, y avait tellement de feu dans ma tête que je me roulais sur les trottoirs pour l'éteindre. Je maudissais mes ancêtres, parce qu'ys ont pas gagné les guerres, parce qu'ys ont perdu les batailles... Pis les chiens me ramassaient, me tabassaient, me flanquaient en prison. J'en ai-tu cogné des barreaux de fer pis des marches d'escalier!

ÉLIZA

Y a rien de vrai dans ce que tu m'as dit tantôt?

VIRGILE

Je t'ai dit ce que toutes les femmes blanches veulent entendre.

ÉLIZA

Tu m'as menti!

VIRGILE

La vérité, c'est pas facile pour moé. J'ai passé ma vie à chercher qui j'étais vraiment. Je suis le fils de qui? De celui qui m'a adopté, qui m'a tout donné? Ou ben de mon vrai père qui m'a juste laissé la couleur de ma peau?

ÉLIZA

Tu te compliques la vie pour rien.

VIRGILE

Parce que c'est compliqué. Si ton enfant arrivait là pour connaître sa vraie mère, tu penses pas qu'il serait aussi mélangé que moé?

ÉLIZA

On parle pas de ça.

VIRGILE

Je sais quoi y ressent, ton enfant.

ÉLIZA

Tu le sais pas.

VIRGILE

Au moins, lui, y pourrait te parler.

ÉLIZA

Arrête. Tu veux juste que j'aie pitié de toé... Pour tu suite, je suis rien que la femme blanche que tu veux baiser.

VIRGILE

Si tu voulais pas coucher avec moé, tu m'aurais pas écouté te raconter ma vie.

ÉLIZA

Je peux pas te faire confiance.

VIRGILE

Tu fais pas confiance à tes sentiments, à tes désirs. Depuis quinze ans, tu dis non à ce que veut ton corps.

ÉLIZA

Quinze ans que je frotte des tables icitte-dans. Quinze ans que je remplis des verres. Quinze ans que je me tire aux cartes. Quinze ans que je l'attends... comme une maudite folle.

VIRGILE

C'est fini, l'attente. Je suis là.

ÉLIZA

J'attendais mon enfant. J'aurais aimé le voir, entendre sa voix... Y aurait à peu près vingt ans aujourd'hui... Y va toujours rester une partie de moé perdue dans le Monde.

VIRGILE

Si j'étais ton enfant, je comprendrais ta décision de m'avoir donné en adoption.

ÉLIZA

T'es pas mon enfant.

VIRGILE

Je te regarderais dins yeux. Je prendrais tes mains. Je t'embrasserais les doigts... Tu voudrais-tu que je t'appelle maman?

ÉLIZA

Arrête ça.

VIRGILE

«Maman. Toute ma vie, j'ai voulu te retrouver.»

ÉLIZA

Fais-moé pas ça.

VIRGILE

«T'es comme je t'imaginais: belle, forte, intelligente.»

ÉLIZA

Je suis rien. Moins que rien. Une *nothing*.

VIRGILE

«Repousse-moé pas.»

ÉLIZA

T'es pas mon enfant. T'es rien qu'un étranger.

VIRGILE

Je sais tout de toé. Je suis pus un étranger.

ÉLIZA

Joue pas avec moé de même.

VIRGILE

Que c'est que t'as à dire à ton enfant? Dis-y. Fais-y le beau discours que tu y prépares depuis toutes ces années.

ÉLIZA

Je veux pas.

VIRGILE

On est rendus là, Éliza.

ÉLIZA

Lâche-moé!

VIRGILE

Dis-moé ce que t'as à lui dire?

ÉLIZA

On joue pus. C'est fini, le jeu des secrets... Donne-moé ta main. Je vas être ta femme blanche. Tu seras l'homme de ma vie. Ça va nous faire du bien, tous les deux, de faire semblant...

On est rendus là, Éliza

VIRGILE

On fera pas semblant. Ça va se passer pour le vrai.

ÉLIZA

On va rire. On va se donner du plaisir. On va oublier nos vies passées. On va oublier qu'y a un lendemain.

VIRGILE

Y aura un lendemain.

ÉLIZA

Prends-moé.

VIRGILE

Ça te fait peur, hein?

ÉLIZA

Embrasse-moé.

Il l'embrasse.
Éliza se dirige vers la sortie qui mène à la chambre de Jack.

ÉLIZA

Viens.

Ils sortent.
Dempsey entre dans la lumière.

DEMPSEY

D'un hôtel à l'autre, dans la lumière ou ben dans l'ombre, je faisais le monde. C'est ça qu'ys venaient voir. C'est pour ça qu'ys étaient là. Ys venaient nous voir jouer avec l'ombre pis la lumière, l'éternel combat, entre le bien et le mal, Dieu et Satan. C'est ça que je leur donnais, aux nioches pis aux beûs. L'éternel combat... L'éternel combat. Entre le désir pis le refus. Entre la liberté pis les chaînes. Entre être et ne pas être.

Le feu ou ben l'eau. L'eau à la bouche pis le feu dins culottes... Ys la voulaient, tous. Mais ys restaient dans l'ombre pis
c'était elle dans la lumière. Elle tu seule, toute belle. Ys venaient la voir pour danser avec le désir, une maudite danse
cochonne, une danse à distance, en solo, une danse avec le
feu. Ys calaient des bières pour éteindre la flamme. Pis au
bout de la nuit, ys étaient tout mouillés. Quelque chose avait
pleuré en eux. La part qui a jamais le droit de pleurer. Pis ys
s'endormaient dessus, les yeux bandés pis des cendres dins
culottes.

Éliza entre. Elle porte la robe de chambre de Jack. Elle a le
couteau de Virgile à la main.

           ÉLIZA
Jack?

Elle se dirige vers le comptoir. Elle regarde les cartes de
tarots, les bouteilles. Elle joue avec le couteau.

           ÉLIZA
Un Indien à laver, à élever, à aimer, tu disais.

Elle regarde le couteau.

           ÉLIZA
C'est-tu pour tuer ou ben juste pour faire peur?

Entrée de Virgile. Il porte seulement son pantalon.

           VIRGILE
Ça appartenait à mon père.

           ÉLIZA
Jack est pas encore rentré.

VIRGILE
Reviens te coucher.

Virgile reprend le couteau.

ÉLIZA
Je peux pas dormir.

VIRGILE
Je pensais que t'étais rentrée chez ta mère.

ÉLIZA
Ça t'arrive-tu souvent de pleurer comme ça?

VIRGILE
C'est rien.

ÉLIZA
Y a deux hommes en toé, Virgile. Un enragé qui voudrait assassiner la Terre, si c'était possible. Planter un couteau en plein dans le cœur de la Terre pour qu'elle arrête de tourner, pis le Monde à son tour arrêterait d'exister.

VIRGILE
Peut-être ben.

ÉLIZA
Pis y a l'autre, tellement fragile. On dirait qu'y est fait en vitre. Fragile pis ptit, ben ben ptit, trop ptit, y comprend rien. Sa vitre est toute craquée pis y sait pas pourquoi! Fa qu'y s'arme d'un couteau pour cacher sa peur.

VIRGILE
J'ai peur de rien.

ÉLIZA

T'as-tu peur de finir comme ton père, un Indien qui a trop bu, mort tu seul dans rue?

VIRGILE

Y a deux jours, j'ai failli mourir comme ça. Je venais de passer six mois à jeun à tenter d'être une personne normale. Mais je suis redescendu à l'hôtel, pis j'ai bu comme un trou. J'ai fini la face dans la neige, une meute de loups dans la tête... Le lendemain matin, j'étais à l'hôpital, ma mère à mon chevet, le chapelet dins mains.

ÉLIZA

On est sortis de nos mères pis elles sortent jamais de nous autres.

VIRGILE

Elle a toujours été là. C'est elle qui me sortait de prison. Elle qui me gardait à jeun, qui me poussait à aller à l'église tous les dimanches... Mais cte fois-citte, elle m'a finalement dit ce que j'ai toujours voulu entendre. Elle m'a parlé de mon père, mon vrai père. Jusqu'à ce moment-là, ça avait toujours été un sujet tabou entre moé pis elle. Mais là, elle m'a dit que j'étais un loup indomptable pis que c'était mieux que je retourne dans la forêt. Elle m'a donné le couteau de mon père, la seule chose qu'elle avait gardée de lui parce que c'était la seule chose qui lui restait, lui: un couteau de chasse, pour se rappeler qu'y avait déjà été un grand chasseur. Elle m'a dit le nom d'une place où je pourrais trouver des membres de sa famille. Peut-être qu'eux autres pourraient me sauver. Elle, malgré son chapelet, elle était pas capable.

ÉLIZA

C'est là que tu t'en vas?

un couteau de chasse, pour se rappeler
qu'y avait déjà été un grand chasseur.

VIRGILE

Un Indien, c'est pas un immigrant. Y appartient à aucun pays.
Y appartient à la Terre. C'est ça que les vieux Indiens me
disaient, quand je les rencontrais autour d'une bouteille de
rye.

ÉLIZA

Ça te fait pas peur d'arriver là-bas sans connaître personne?

VIRGILE

J'ai plus peur de ce qu'y a en arrière de moé qu'en avant.

ÉLIZA

Moé, c'est ben le contraire.

VIRGILE

Viens te coucher.

ÉLIZA

Je pensais qu'en couchant avec toé... je pensais que j'allais
retrouver le *feeling* que j'avais eu à quinze ans avec mon
chum, tu sais, le *feeling* que la vie commence pour de vrai,
tout est possible, mais...

VIRGILE

Ouin!

ÉLIZA

Je reste avec le même sentiment d'attente, le même trou noir.

VIRGILE

Faut pas t'en faire. La prochaine fois...

ÉLIZA

Si mon enfant arrivait, j'aurais rien à y dire, pas de beaux
discours, pas d'excuses. Je pourrais pas le consoler. On res-

tera dans nos douleurs tout seuls. Pis pour se guérir, y aura juste l'oubli.

VIRGILE
Je t'oublierai pas.

ÉLIZA
T'es mieux de m'oublier.

Silence.
Sortie de Virgile.

DEMPSEY
T'étais la plus belle femme du monde, Betty.

ÉLIZA
Maudite marde! J'aurais pas dû rentrer aujourd'hui. J'aurais pas dû tenter de forcer les affaires.

Elle touche aux cartes, les laisse, prend une gorgée d'alcool.

DEMPSEY
T'es rien qu'une soûlonne.

ÉLIZA
Dans le film, je me marie. Je suis tellement heureuse quand y me dit oui devant l'autel, pis que j'y glisse un anneau au doigt.

DEMPSEY
Honey, reste avec moé, pis tu vas te rendre loin. Je te le garantis.

ÉLIZA
Quand y me regarde, je vois toute l'avenir, notre futur, dans la couleur de ses yeux.

DEMPSEY

Un jour, on embarquera dans mon char, toé pis moé, pis on se rendra à la Ville des *stars*.

ÉLIZA

Quand je l'embrasse, c'est sucré dans sa bouche.

DEMPSEY

Ma ptite Honey.

ÉLIZA

Dans le film, y finit toujours par me quitter. Pis je m'entortille dans ma robe... Non, je pleure pus.

DEMPSEY

«A simple girl.» Mais m'as t'acheter des bijoux, m'as t'acheter des belles robes. M'as faire de toé la plus belle femme du monde, une *movie star*.

ÉLIZA

Dans le film, je le retrouve toujours dans les bras d'une autre dans un motel *cheap*...

DEMPSEY

Regarde, Honey. Regarde la sorcière.

ÉLIZA

Dans le film... je le vois mais je le reconnais pas.

DEMPSEY

Allô, Betty. Tu m'as retrouvé, pis?... Tu penses-tu que je vas retourner avec toé? Tu t'es-tu vue? T'as l'air d'une chienne mouillée. Maudite innocente! Retourne téter ta bouteille!

ÉLIZA

Dans le film, j'entre dans la chambre de motel... Y est à moé.

À moé. «*Forever.*»... Je sors le revolver pis je le crible de balles.
Bang! Bang! Bang!...

Éliza prend une gorgée de la bouteille.
Éliza devient Betty.

BETTY

Dempsey, je suis pas capable de monter sur le stage à soir. J'ai
mal au ventre... J'ai beau boire.

DEMPSEY

Ys restaient dans l'ombre pis c'était elle dans la lumière.

BETTY

Ys applaudissent. Ys veulent me voir, mais je suis pas capable.
Pas à soir.

DEMPSEY

Elle tu seule, toute belle.

BETTY

«*I was a simple girl once. My brother took me out one night.
He took me to a hotel to see two guys slug it out until one of
them dropped. My brother said it would be exciting. One of
the guys was big, tall and muscular. The other one was small
and looked fragile. He seemed possessed when the fists started
to fly. And when the big man went down, I blew a smile to
the little man. It fell in his bruised eye and he was mine,
then. And I was his.*»... Jack?

DEMPSEY

Les yeux bandés pis des cendres dins culottes.

BETTY

Dempsey! T'es parti faire briller des étoiles dins yeux d'une
autre ptite fille simple comme j'étais simple... C'est là que

Pour toujours ensemble. «Forever.» Bang!

t'es... Mais t'es à moé parce que tu m'as tout enlevé. Y me reste juste toé... Pis on va finir ensemble. Pour toujours ensemble. «*Forever.*» Bang!

Betty devient Éliza.

ÉLIZA

Dans le film... Dans le film... C'est rouge sur la pellicule. Pis moé, je me mouche avec un kleenex plein de sang...

Éliza va au comptoir. Elle prend son sac de bain.

ÉLIZA

Arrête, Éliza. C'est fini!... T'es une moins que rien, Éliza. T'es sale. Tu sens la sueur pis le sexe... Va te laver, Éliza. Va prendre un bain chaud. Assez chaud pour tout faire fondre.

Sortie d'Éliza.

DEMPSEY

D'un hôtel à l'autre, dans la lumière ou ben dans l'ombre, je faisais le monde. C'est ça qu'ys venaient voir.

Jack entre. Il saisit une bouteille. Il prend une bonne gorgée d'alcool.

DEMPSEY

T'entends-tu l'eau qui coule? Tu l'entends-tu? Elle est dans la baignoire.

JACK

Je le sais.

Jack continue à boire directement de la bouteille.

DEMPSEY
Elle pleure. Va jeter un coup d'œil.

JACK
Je veux pas.

DEMPSEY
Regarde par le ptit trou.

JACK
Pus jamais.

DEMPSEY
Elle est à toé, là, dans toute sa nudité parfaite. L'objet de ton désir.

JACK
C'est pas ça.

DEMPSEY
Viens voir ses seins, son ventre, ses cuisses.

JACK
C'est pas son corps!

DEMPSEY
Plante ton œil cochon dans le trou.

JACK
Quand je la regarde dans le bain, je vois Betty comme je l'ai jamais vue. Nue, sans maquillage, pure, les cheveux mouillés. Elle est juste belle, rien d'autre que belle... Pis à cte moment-là, je rentre dans l'autre histoire, celle de ma vie avec Betty.

*Quand je la regarde dans le bain, je
vois Betty comme je l'ai jamais vue.*

DEMPSEY
Du crossage!

JACK
Y a un enfant sur mon dos qui me fait faire le cheval. Je
tourne en rond dans la pièce avec un rire énorme sur les
épaules. C'est la vie, ça. Pis j'entends Betty qui chante. Pis y a
des odeurs de pain frais, de tartes chaudes pis de viande rôtie.

DEMPSEY
Tu te contes des mensonges. C'est l'odeur de nymphe qui te
gonfle les narines pis qui fait brûler le feu dans ton ventre.

JACK
Que c'est que t'as fait de Betty?

DEMPSEY
Tu brûles pour la plus belle femme du monde.

JACK
Tu y as fait des accroires. Tu l'as maquillée plus. Tu y as
acheté des robes pis des bijoux qui brillent mais qui valent
rien. Tu l'as laissée se perdre dans son miroir.

DEMPSEY
Une *movie star*.

JACK
Elle est jamais devenue une *movie star*!

DEMPSEY
Betty.

Jack sort de sa poche le billet de cinquante dollars froissé.

JACK

Maudit cinquante piastres!... En le sortant, j'ai permis à l'Indien de revenir des Morts.

Entrée de Virgile. Il est en train de se rhabiller.

VIRGILE

Bonsoir, monsieur.

DEMPSEY

Reste assis, Jack. Baisse la tête. Prends ton air de ptit peureux. C'est ça.

Silence.

VIRGILE

Je pensais pas te revoir. Tu t'es-tu gelé le bout du nez comme y faut?

JACK

J'ai pas trouvé ton char.

VIRGILE

Tu me fais rire, monsieur.

JACK

J'ai fait toutes les rues de la place. Pas de char dans le banc de neige nulle part. T'es pas venu icitte en char.

VIRGILE

Je suis arrivé sur le dos du vent. Je suis un chaman. T'es mieux de faire attention.

DEMPSEY

T'es capable de mettre n'importe quel gros beû à terre d'un seul coup de poing.

JACK

Tu veux tout me prendre, hein? C'est pour ça que t'es revenu.
Tu veux-tu mon hôtel?

VIRGILE

Je pisse dessus ton hôtel, monsieur.

DEMPSEY

Je vas aller faire le tour des tables.

JACK

Tu veux de l'argent? Tiens.

*Jack lance le billet de cinquante dollars en direction de
Virgile.*

DEMPSEY

Je prends les gageures. Le plus gros, le plus grand, le plus
fort...

VIRGILE

Le vent s'est calmé. C'est le temps de reprendre mon chemin.

DEMPSEY

Tapez dessus, voir.

JACK

Je peux pus endurer le mal dans mes mains. Regarde mes
mains. Regarde-les. Tu les vois, toutes déformées, toutes bri-
sées. C'est pas la vie qui m'a fait ça. C'est pas un autre. C'est
moé. Je me suis maudit les mains dans la *fan belt* d'un char.
C'était ma pénitence.

VIRGILE

Monsieur, je me suis amusé un bout avec toé, mais le *fun* est
fini, là.

DEMPSEY

Écoute-les rire de toé.

Virgile enfile sa chemise.

JACK

Écoute. Je voulais pas te tuer. Mais j'avais tant de colère dans mes bras, tant de colère pis de jalousie, j'étais méchant dans l'os. J'aurais pas dû accepter de me battre contre toé. Mais personne voulait se battre ce soir-là. Personne voulait, même pour tout le cash que je pouvais mettre sur la table. Personne, sauf toé, hein?... T'as enlevé ta chemise pis tu l'as lancée à côté du cash.

DEMPSEY

Oui, le Sauvage. Je prends même ta chemise, à soir.

JACK

Je prenais n'importe quelle gageure.

VIRGILE

Je veux pas entendre ton histoire.

Virgile met son manteau.

DEMPSEY

Montre-moé tes poings.

JACK

J'ai enlevé ma chemise pis j'ai levé les poings. Pis l'hôtel a levé de terre.

VIRGILE

Ferme-toé.

JACK

Mes bras étaient plus rapides que des éclairs. Je t'ai frappé dans le ventre.

DEMPSEY

Dans le ventre, dins yeux, sur la yeule.

JACK

Mais j'ai fait ben attention de pas te sacrer à terre tu suite. Je voulais que ça dure le temps de ma colère. Ma colère pouvait ben durer une éternité.

DEMPSEY

Dans le ventre, dins yeux, sur la yeule.

VIRGILE

Je m'en sacre ben de tes exploits de jeunesse.

Virgile se dirige vers la sortie.

DEMPSEY

Non, le Sauvage. C'est pas fini.

JACK

Le visage rouge de sang. Tes longs cheveux noirs collés à tes joues. Tu m'as jeté un regard. J'ai vu une flamme danser dans tes yeux noirs... «Debout, l'Indien!»

Virgile se retourne.

JACK

Tu t'es relevé. T'avais du nerf. Je t'ai quasiment dit merci.

DEMPSEY

M'as te frapper moins fort pour te laisser souffler un peu.

Dans le ventre, dins yeux, sur la yeule.

JACK
Je t'ai laissé me fesser sur la yeule comme y faut.

Virgile pousse Jack, qui se heurte au comptoir.

DEMPSEY
C'est rouge dans ma tête.

JACK
J'avais du sang dans la bouche.

Virgile repousse Jack.

JACK
T'es tombé.

Entrée d'Éliza. Elle s'est rhabillée rapidement.

JACK
Tu te relevais. Je te replantais un coup de poing sur les mâchoires. Tu te relevais.

Jack se relève, chancelant.

DEMPSEY
Maudit sacrament! Lève-toé, stie de chien!

JACK
Pis t'es resté là. Étendu à terre. Tu bougeais pus.

VIRGILE
(en algonquin) Akwatcik!... Akwatcik!... Niki sakitciepinikoo mikinakak.
(Prononciation: Âgwadjig!... Âgwadjig!... Nigui sâguidjièbinigoo mikinâkag. Traduction: «Dehors!... Dehors!... Ils m'ont jeté dehors, dans la rue.»)

DEMPSEY
Quoi qu'y a, lui? Pourquoi y bouge pus?

Jack est étendu par terre.

JACK
Tu respirais pus. Ton silence a vidé la place. Vidé les verres, vidé les bouteilles, vidé la place.

DEMPSEY
Y est mort?

JACK
Le propriétaire de l'hôtel pis un de ses chums t'ont jeté dans la rue. Personne a rien vu, rien entendu. Un Indien mort dans la rue. Dans la rue, comme un chien. Je t'ai tué...

DEMPSEY
C'est la faute à Dempsey.

Jack se rue sur Virgile et saisit le couteau, qu'il a retiré de sa gaine.

JACK
Tue-moé asteur.

Virgile hésite.

JACK
Vas-y. Achève-moé. T'as le droit de m'abattre. Venge-toé!... Que c'est que t'attends?

Virgile repousse Jack contre le bar et lui met la lame sous la gorge.

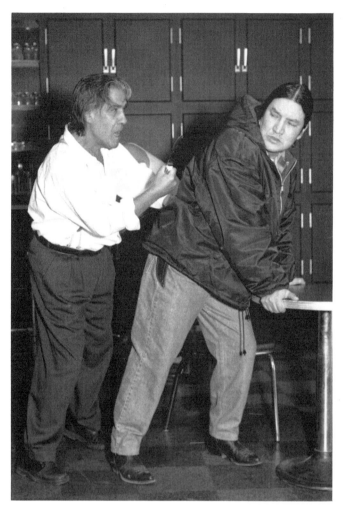

T'as le droit de m'abattre. Venge-toé!...

ÉLIZA
Fais pas ça, Virgile.

VIRGILE
Y a tué mon père.

JACK
Tue-moé.

ÉLIZA
Y a tué un Indien.

VIRGILE
C'est le destin qui m'a poussé jusqu'à lui.

ÉLIZA
Que c'est que ça va te donner de te venger?

JACK
Laisse-moé pas de même. Tout ouvert. Le vent me siffle au travers du corps.

ÉLIZA
Y a eu assez de sang de versé.

JACK
Tue-moé!

ÉLIZA
Tu vas finir en prison pour le restant de ta vie.

JACK
Tue-moé.

VIRGILE
Arrrgh!!!!

Silence.
Virgile repousse Jack, remet le couteau dans la gaine.

####### VIRGILE
Tu te trouveras un autre justicier. C'est pas à moé de te punir. Pour moé, t'es déjà mort. J'ai rien à gagner à tuer un mort-vivant.

Virgile se dirige vers la sortie.

####### VIRGILE
Reste pas avec lui, Éliza. Donne-toé une chance de vivre.

####### ÉLIZA
Y a quelque chose entre lui pis moé.

####### VIRGILE
Ouin, t'as appelé ça le vide.

Sortie de Virgile.
Jack se relève.
Éliza va au comptoir. Elle saisit son manteau, l'enfile.

####### JACK
Tu peux-tu faire tomber le vent? Y me gruge par en dedans.

####### DEMPSEY
Tu fais pitié. Supplier le Sauvage à genoux de te tuer.

####### JACK
J'ai frette.

####### DEMPSEY
Moé, j'aurais jamais fait ça. Moé, j'aurais sorti mes poings. Pis je lui aurais sacré la volée de sa vie.

JACK

Dempsey?

DEMPSEY

Moé, j'étais le plus fort. Le plus fort de tous. Moé, personne
me marchait dessus. Moé, j'assommais des beûs.

JACK

T'es pas Dempsey.

DEMPSEY

Moé, j'étais possédé par le diable quand les coups volaient.

JACK

Qui que t'es?

DEMPSEY

Toé, t'es rien que la peur dans le ventre. Toé, m'as t'écraser.
Pas besoin d'argent sur la table. Pas besoin de gageures. Toé,
m'as te défaire, juste pour le plaisir.

JACK

J'étais pas de même.

Dempsey se place devant Jack.

DEMPSEY

Qui est dans l'ombre de qui? C'est pas clair, hein? Là je te vois
la face.

JACK

Lâche-moé.

Dempsey lui saisit les mains.

DEMPSEY

Je suis pas Dempsey. Je suis toé... Regarde-moé ben.

JACK

Tu me fais mal.

DEMPSEY

Je suis le mal dans tes mains. Souviens-toé... Quand t'as parti le char, c'était pour partir, pour t'arracher à cte vie de chien qui fait semblant d'être heureux... Moé, j'ai parti le char pour rejoindre Betty.

JACK

J'ai parti le char pour m'empêcher de fuir.

DEMPSEY

Betty, après son départ, je l'ai cherchée tout le temps.

JACK

Ah! Les mains dans la *fan belt*, t'es sorti de moé comme un cri de douleur.

Dempsey relâche les mains de Jack.

DEMPSEY

Betty, j'allais voir tous les *movies*. Pis je te cherchais dans les images. Souvent, mon cœur sautait parce qu'une actrice avait tes yeux, ta bouche. Mais c'était juste des jeux d'ombres pis de lumière.

JACK

J'étais en train de virer fou.

DEMPSEY

Mais t'étais pas dins *movies*, Betty. T'étais juste en face de mon hôtel. T'étais à la caisse de l'épicerie... Des après-midi de

Les mains dans la fan belt*, t'es sorti
de moé comme un cri de douleur.*

temps, assis sur le perron, je me séchais les yeux à te regarder *puncher* ta caisse.

JACK

C'est pas elle.

DEMPSEY

Je t'avais retrouvée, Betty.

JACK

Tu mélanges tout.

DEMPSEY

Je suis allé te chercher... T'étais toujours la plus belle femme du monde. Ma Betty. Je pensais que...

JACK

C'est pas elle!

DEMPSEY

Je voulais t'acheter une bague avec un vrai diamant qui brille comme les étoiles dans tes yeux. Une bague qui te ferait dire oui. Je voulais me remettre à genoux devant toé pis te redemander en mariage.

JACK

Arrête.

DEMPSEY

Je voyais déjà la maison dans laquelle on allait vivre. Une grande maison avec une belle cour pis du bois tout autour. Pis un enfant... Y est sur mes épaules. Tu l'entends-tu rire? Notre enfant. Le soleil est sur mes épaules. La Terre peut ben tourner sous mes pieds, moé; j'ai le soleil sur mes épaules pis des étoiles dins yeux.

JACK
C'est pas Betty. C'est Éliza.

DEMPSEY
Tu casses toujours les rêves, toé. T'écrases toujours le désir.

JACK
C'est toé le plus grand. C'est toé qui as assommé les beûs.

DEMPSEY
Betty! Pourquoi t'es partie?

JACK
Maudite chienne de vie!

DEMPSEY
Pourquoi tu m'as laissé tu seul?

JACK
J'ai rien dans le cœur, pas de sang dins veines.

DEMPSEY
Juste mes larmes salées.

JACK/DEMPSEY *(ensemble)*
Tu peux-tu faire tomber le vent? Y me gruge par en dedans.

JACK
Moé, je suis rien qu'une ombre qui danse avec sa vie.

DEMPSEY/JACK *(ensemble)*
J'ai frette.

Jack s'approche d'Éliza. Il se met à genoux devant elle.

JACK
Tu veux-tu m'épouser?

FIN